Manon Lescaut

ÉTONNANTS · CLASSIQUES

PRÉVOST

Manon Lescaut

Présentation, chronologie, notes et dossier par
HÉLÈNE BERNARD,
professeur de lettres

GF Flammarion

© Éditions Flammarion, 2007.
ISBN : 978-2-0812-6639-1
ISSN : 1269-8822

SOMMAIRE

Manon Lescaut

■ Antoine François Prévost, gravure de J.G. Will, d'après C.N. Cochin (1746). Bibliothèque nationale.

PRÉSENTATION

De l'abondante production romanesque de l'abbé Prévost, la postérité semble n'avoir retenu que *Manon Lescaut*, qu'elle a hissé au rang de chef-d'œuvre, éclipsant ainsi ses autres créations et créatures, de Cleveland, héros éponyme[1], à Renoncour, narrateur des *Mémoires et aventures d'un homme de qualité qui s'est retiré du monde*. Pourtant, les lecteurs du XVIIIe siècle lisaient *Manon Lescaut* comme partie intégrante des *Mémoires* de Renoncour, dont elle constituait le septième tome, où le récit du chevalier des Grieux venait s'enchâsser dans celui du noble personnage. C'est dire si la grâce d'une narration toute subjective a opéré puisque, d'une femme de peu de vertu et de son amant aliéné par la passion, on a fait un véritable mythe de l'amour. À l'image du romancier prolixe ignorant de son propre génie, à celle du moine tragique confessant sa vie dans une œuvre conçue comme un miroir, l'histoire littéraire a substitué celle d'un écrivain philosophe, arpenteur infatigable du cœur humain, d'un auteur qui a fait du roman l'outil d'investigation privilégié de la question du bonheur.

---

1. *Éponyme* : qui donne son nom au roman.

L'abbé Prévost : une vie digne d'un roman

D'Antoine François Prévost, on sait assez peu de choses. Né en 1697 dans une famille bourgeoise, il appartient à la génération de Marivaux, Voltaire et Crébillon fils. Orphelin de mère comme son personnage des Grieux et promis à une carrière religieuse par son père, rien ne semble le prédisposer à embrasser celle des lettres. Chez les jésuites[1] où il est envoyé dès 1711 pour se former, il lit les satires et les épîtres d'Horace[2] et les œuvres de Cicéron[3], dont il prise le ton d'une conversation familière mais distinguée ; il nourrit aussi, sous l'influence des pères jésuites, un intérêt pour la casuistique[4] et pour le roman moral et didactique[5]. Après deux incursions dans l'armée où il s'engage dans la guerre de Succession d'Espagne[6] et un séjour en Hollande, c'est finalement l'ordre des Bénédictins[7] de Saint-Maur qu'il choisit en 1720 pour prononcer ses vœux, sans grande conviction. Ce retour précipité en France s'explique sans doute par la « malheureuse fin d'un engagement trop tendre[8] ». L'instabilité et les désordres amoureux d'Antoine

---

1. *Jésuites* : membre de la Compagnie de Jésus, ordre fondé par Ignace de Loyola en 1534, qui faisait de l'enseignement confié aux pères l'une de ses principales missions.
2. *Horace* (65-8 av. J.-C.) : poète latin mais aussi théoricien des genres.
3. *Cicéron* (106-43 av. J.-C.) : homme politique et orateur latin.
4. *Casuistique* : partie de la théologie morale qui s'occupe de régler les cas de conscience qui se posent à l'individu, en conciliant les exigences de la religion et celles de la société.
5. *Didactique* : qui vise à enseigner, à délivrer une leçon de morale.
6. Guerre menée par Louis XIV contre le royaume d'Espagne, à la tête duquel il voulait mettre son petit-fils.
7. *Bénédictins* : religieux qui suivent la règle de saint Benoît et se consacrent dans leur monastère à divers travaux, notamment d'érudition.
8. Selon l'expression de Prévost lui-même dans un texte autobiographique du *Pour et Contre*.

François déclenchent la colère paternelle, dont se fait écho celle du père du chevalier des Grieux, « homme d'esprit et de goût » mais « sévère » et « inflexible » quand il s'agit de l'orientation à donner à la vie de son fils. Cinq ans plus tard, il est ordonné prêtre, mais, en 1728, échange sa robe de moine contre un costume d'abbé[1], dans lequel il se sent moins entravé. La prédication et les copieux travaux historiques auxquels il s'adonne n'empêchent pas Prévost de s'atteler à l'écriture littéraire. Ainsi, les deux premiers volumes des *Mémoires et aventures d'un homme de qualité qui s'est retiré du monde* voient le jour à la même époque. Publiés sans nom d'auteur, ils connaissent un large succès. Cependant, un écrit, sarcastique celui-ci, rédigé à l'attention de son supérieur général au sein de l'Église, le contraint à prendre la fuite en Hollande, où il est séduit par le protestantisme. Il passe ensuite en Angleterre, où il trouve l'occasion d'apprendre l'anglais et de goûter les charmes du théâtre élisabéthain[2] et de la poésie du temps. En 1728, il entre au service d'un notable, John Eyles, qui lui confie l'éducation de son fils. Aux heures laissées vacantes par le préceptorat, Prévost poursuit la rédaction des *Mémoires*, dont il livre alors les tomes III et IV. Mais, parce qu'il gagne secrètement les faveurs de la fille de son hôte, il est chassé par celui-ci et doit se réfugier à Amsterdam. Il se rend ensuite à La Haye, où il entame une liaison passionnée avec Lencki Eckhardt, femme plus âgée que lui, amatrice de plaisirs et très dépensière ; dans le même temps, il entreprend *Cleveland*, qui commence à paraître en 1731. Au cours de cette même année particulièrement féconde, il donne à lire les tomes V, VI et VII des *Mémoires*, dont l'ultime volume, très vite saisi faute d'autorisation, est consacré à l'*Histoire du chevalier des Grieux et de Manon Lescaut*.

---

1. Le statut de moine le condamnait à une vie soumise à des règles strictes, qui le séparaient de la société de ses contemporains ; celui d'abbé lui permet de vivre dans le siècle.

2. *Théâtre élisabéthain* : théâtre dont Shakespeare est l'un des plus éminents représentants.

Les dettes qu'il a contractées et les escroqueries auxquelles il s'est livré pour répondre aux aspirations de sa maîtresse, éprise de luxe, le poussent une fois de plus à quitter la place. Il trouve temporairement refuge en Angleterre où il prend le patronyme d'Exiles, nom supposé d'une contrée et allusion teintée d'ironie à sa situation. En 1734, il rentre en France où il est bientôt nommé aumônier [1] du prince de Conti ; néanmoins, en l'absence de pension, il doit faire profession d'écrivain pour vivre. Il achève *Cleveland*, rédige *Le Doyen de Killerine* et contribue à la revue *Pour et Contre* qu'il avait fondée à Londres quelques années plus tôt. Après une dernière incursion en Belgique pour échapper à ses créanciers, Prévost regagne définitivement Paris en 1746 et s'installe à Chaillot, comme Manon et le chevalier, puis à Chantilly. Dès lors, il mène une existence plus rangée, consacrée à l'écriture ainsi qu'à la traduction, et tisse de nouvelles relations, notamment avec Jean-Jacques Rousseau. Il s'éteint en 1763, victime d'une crise d'apoplexie.

Prévost a prêté à son héros des Grieux nombre de traits empruntés à sa propre existence : l'auteur et son personnage ont en partage leurs origines géographiques et sociales ; tous deux ont gagné Paris après des études dans un collège jésuite et ont interrompu brusquement leur carrière ecclésiastique ; ils ont également dû soutenir la rigidité du jugement paternel ; la nécessité les a communément conduits à fréquenter le milieu peu recommandable des joueurs ; mais, surtout, ils ont chacun fait les frais d'un « engagement trop tendre » et ont manié la rhétorique avec un art consommé de la casuistique, présentant ainsi toujours leurs actions sous un jour favorable. Cependant, il ne saurait être question de réduire *Manon Lescaut* à sa seule inspiration autobiographique tant les sources auxquelles a puisé l'abbé Prévost pour écrire son œuvre apparaissent diverses et tant son ambition dépasse le cadre du simple récit de vie.

---

1. *Aumônier* : ecclésiastique chargé de l'instruction religieuse, ou de la direction spirituelle d'un établissement, auprès d'un grand personnage.

Manon Lescaut : un roman d'un genre nouveau

Lorsque Prévost donne à lire le septième et dernier tome des *Mémoires d'un homme de qualité qui s'est retiré du monde*, le genre du roman connaît un véritable renouveau et tente d'acquérir ses lettres de noblesse. En effet, de l'Antiquité au siècle des Lumières, le roman a souffert d'un manque de respectabilité dans la hiérarchie littéraire : Aristote lui a refusé sa place dans la classification des genres qu'il a établie au sein de la *Poétique*[1] ; plus tard, au XVIIe siècle, on lui a reproché de se complaire à la peinture de réalités triviales, voire immorales, quand on n'y a pas vu seulement un tissu d'événements invraisemblables autant que chimériques. La mauvaise réputation dont a souffert le roman explique cependant qu'il soit apparu aux auteurs du XVIIIe siècle comme un champ d'expérimentation inédit pour pousser plus loin leurs recherches sur l'homme moderne : en l'absence de règles fermes corsetant le genre, celui-ci paraît susceptible de s'ouvrir à toutes les variations, et, pour cette raison, à même de restituer la vision d'un monde où les barrières sociales se trouvent ébranlées et les croyances religieuses et morales mises à mal.

L'unique ambition déclarée des romanciers s'attache alors à rendre compte du réel tel qu'il est vécu par l'homme ; il s'agit bien moins, pour eux, de s'adonner à une description pointilliste de l'univers[2] dans lequel ils plongent leurs lecteurs, que de cerner au plus près les retentissements de la réalité des personnages

---

1. La *Poétique* est un traité des genres littéraires dans lequel le philosophe antique grec Aristote (384-322 av. J.-C.) distingue essentiellement l'épopée, la poésie et la tragédie.
2. Le réalisme de Prévost n'est donc pas celui de Balzac ou de Zola.

qu'ils mettent en scène. La restitution minutieuse des passions et des émotions éprouvées par leurs créatures de papier constitue le véritable gage de la vraisemblance des expériences qu'ils relatent au fil de leurs œuvres. Ces raisons expliquent que, à cette époque, le terme « roman », trop entaché d'irréalisme, soit quelque peu tombé en désuétude et que les procédés visant à accréditer la fiction de vérité se soient multipliés : préfaces, préférence donnée à un narrateur-personnage plutôt qu'au point de vue du créateur omniscient[1], allusions historiques et géographiques précises, utilisation d'initiales pour désigner certains protagonistes, cherchent à donner au récit un ancrage dans la réalité, du moins à créer une illusion référentielle[2]. Tel est le prix à payer pour obtenir une adhésion à la fois lucide et critique des lecteurs du temps. L'auteur de *Manon Lescaut* l'a bien compris : il fait le choix d'un récit subjectif d'un individu aliéné par la passion amoureuse dans le cadre temporel resserré de deux années – de 1712 au début de 1715[3] ; la narration est placée sous la caution du sage Renoncour[4], rédacteur des *Mémoires d'un homme de qualité qui s'est retiré du monde*, à l'intérieur desquels le chevalier trouve un espace pour sa confession.

Si l'*Histoire du chevalier des Grieux et de Manon Lescaut* figure l'avènement d'une nouvelle forme de roman, elle ne fait pas pour autant table rase de la tradition littéraire antérieure. Aussi

---

1. *Omniscient* : qui sait et voit tout, et peut ainsi rendre compte, choisissant le mode de focalisation zéro, de la totalité des perceptions de ses personnages.

2. *Illusion référentielle* : l'expression renvoie à la capacité du texte littéraire de reproduire une réalité existante, en somme de « faire vrai ».

3. Le marquis de Renoncour place sa première rencontre avec le chevalier six mois avant son départ pour l'Espagne, qui intervient avant la mort de Louis XIV (1er septembre 1715), et leurs retrouvailles en juin 1716, quelques mois après la mort de Manon en Amérique.

4. Veuf inconsolé, le personnage met à profit sa retraite du monde pour rédiger ses Mémoires.

y a-t-il du *picaro*[1] dans le jeune héros dont la morale se dégrade progressivement – pressé qu'il est par sa maîtresse et par les circonstances –, mais qui aspire simultanément à bâtir sa destinée individuelle en dépit des contraintes imposées par une société corrompue. Infraction à la règle classique de la bienséance[2] et dévoiement de l'idéalisme en cours dans les œuvres baroques[3] et précieuses[4], cette bassesse morale vaut pour une subversion de l'héroïsme romanesque. L'incipit *in medias res*[5] de *Manon Lescaut* en fournit la clef, qui plonge le lecteur dans une scène tout entière empreinte de pathétique et le prend à témoin des conséquences désastreuses de la passion. L'histoire s'ouvre sur le spectacle du naufrage de deux héros d'emblée dépourvus du prestige que devrait leur garantir leur statut, et impose l'image d'une réalité inspiratrice de pitié et d'horreur. En procédant de cette manière, l'auteur combine la double influence du genre de l'histoire et de celui de la tragédie : Prévost s'inspire de la première qui se rapproche de l'anecdote et du fait divers et se définit par des narrations courtes inscrites dans un récit-cadre plus large, par la subjectivité du conteur qui la rapporte et par le souci de faire vrai ; à la seconde, il emprunte la rigueur de la construction et le motif d'un amour fatal. Ainsi, le roman prévostien rappelle le

---

1. *Picaro* : personnage d'aventurier que l'on trouve dans les romans espagnols dès le XVIe siècle, appelé à devenir un type littéraire.
2. *Bienséance* : aux XVIIe et XVIIIe siècles, ce qui est considéré comme convenable et décent, notamment par le public de théâtre. Au nom de cette règle, sont proscrits de la scène littéraire le meurtre, le sang, l'obscénité...
3. Notamment le roman pastoral et le roman héroïque, qui ont vu le jour entre la fin de la Renaissance et le début du classicisme, marqués en particulier par l'exaltation de la beauté et de la valeur intrinsèque des personnages s'y épanouissant.
4. Romans qui relèvent d'un courant mondain et littéraire du Grand Siècle, la préciosité, qui se caractérise par une conception raffinée des rapports humains et, du point de vue de l'écriture, par le culte de la recherche stylistique.
5. *In medias res* : « au milieu de l'action ». Ce type d'incipit plonge le lecteur sans médiation dans l'univers de la fiction, comme s'il en détenait déjà les données fondamentales.

recueil des *Illustres Françaises* de Challe, paru en 1713, composé de sept histoires relatant le récit d'une passion contrariée, et se réclame aussi du théâtre racinien dont il imite certains accents. À ces sources s'ajoutent encore celle du théâtre élisabéthain où le romancier trouve une certaine liberté dans l'expression du tragique, bien éloigné de la norme édictée par le classicisme français, ou encore celle de la littérature anglaise des bas-fonds, dont les intrigues s'enlèvent sur l'évocation d'un monde fait de déviance et de rouerie[1].

Là où le roman picaresque multipliait les péripéties invraisemblables, l'abbé Prévost compose avec la réalité et érige cette dernière en ressort dramatique puissant, ce qui a pour effet de conférer une aura tragique aux aventures des deux amants. Le schéma narratif de l'*Histoire du chevalier des Grieux et de Manon Lescaut* obéit à un plan serré qui rappelle la sobriété classique : quatre épisodes parallèles[2] se succèdent, qui accusent toujours davantage la chute du héros par l'accélération du temps et le rétrécissement des lieux jusqu'à l'élargissement final figuré par le désert, espace de purification mais aussi de mort. Rapporteur fidèle de sa déchéance, des Grieux se constitue aussi paradoxalement en témoin de la grandeur de son amour pour Manon, dont il restitue une image idéalisée parce qu'objet d'une cristallisation[3] dans le souvenir. Toute part d'idéalisation n'est donc pas bannie d'un univers romanesque où la réalité et, avec elle, la nature prennent le pas sur les conventions sociales, morales, voire littéraires. Sous le

---

1. *Rouerie* : ce qui caractérise les actions accomplies par une personne intéressée, rusée et dénuée de scrupules.

2. Le parallélisme réside dans la répétition du schéma suivant : trahison, réconciliation, fuite. L'épisode du prince italien, ajouté par Prévost à la version initiale de son roman en 1753, voit les héros, non pas fuir, mais chasser l'amant importun, ce qui constitue une variation du dernier motif.

3. Le terme est à prendre dans l'acception qu'en donne Stendhal : « Ce que j'appelle cristallisation, c'est l'opération de l'esprit, qui tire de tout ce qui se présente la découverte que l'objet aimé a de nouvelles perfections » (*De l'amour*, 1822, chap. III).

récit en forme de plaidoyer [1] du héros déchu ne cesse de sourdre la plainte sincère qui atteste la noblesse de sa passion ; en filigrane de la relation des avanies de Manon se dessine toujours le profil d'une incarnation vivante de l'Amour, à laquelle le lecteur, pas plus que son amant, ne peuvent résister.

C'est donc la voix d'une nature fondamentalement bonne mais dévoyée par les circonstances que Prévost donne à entendre. De là vient qu'il peut, dissimulé sous les traits de Renoncour dans l'« Avis de l'Auteur », revendiquer l'exemplarité du récit qui suivra. Ainsi, le roman serait un exemple illustrant la loi générale de la force des passions ; mais aussitôt celui qui s'exprime semble récuser toute efficace de l'instruction morale qu'on pourrait tirer de cette histoire en invoquant l'abîme entre les principes théoriques et la pratique. Pourtant, si le récit admet bien une valeur cathartique [2] pour des Grieux, il se pourrait aussi que lecteur tire profit de son expérience : placé en position d'auditeur au même titre que l'homme de qualité, il contemple et juge du dehors, dans une sorte de retraite contemplative, des actions qu'il n'a pas à accomplir. Il n'en reste pas moins que l'ambiguïté au sceau de laquelle Prévost a frappé son ouvrage, ses personnages et leurs discours, fait naître des interrogations sur notre capacité à concilier bonheur terrestre et vertu plus qu'elle n'offre de certitudes rassurantes. Prompt à manier le paradoxe et les armes de la casuistique, à estomper les limites franches entre le bien et le mal, le romancier se double subrepticement d'un rhéteur et d'un philosophe et nous porte à interroger la nature et les destinées humaines.

---

1. *Plaidoyer* : discours de défense ; lorsqu'il est prononcé en faveur de soi-même, on parle de plaidoyer *pro domo*.
2. *Cathartique* : adjectif formé sur le nom *catharsis* qui désigne en grec la « purgation » des passions qui assiègent l'homme.

L'équivoque romanesque

L'ambition réaliste affichée par Prévost dans son œuvre ne l'empêche pas de dessiner les contours de personnalités hors norme. Ses héros semblent désignés par le sort pour vivre des aventures dans lesquelles les malheurs rencontrés et les émotions ressenties les distinguent d'une humanité commune. Tout paraît les porter à l'excès, lors même qu'ils sont, comme des Grieux, capables de raison. Leur sensibilité les entraîne invariablement dans les pires désordres au regard de la religion et de la morale, non qu'elle soit en elle-même coupable, mais parce que sa manifestation la plus haute est l'amour adressé à des créatures imparfaites. Aussi le chevalier et son amante, êtres de passion(s), deviennent-ils le siège de tensions contradictoires, d'ambiguïtés insolubles : plus des Grieux se montre épris de sa maîtresse, plus il erre ; plus il révèle la grandeur de son âme à travers un amour absolu, plus il tombe dans l'abjection et se dégrade, de sorte qu'il est à la fois exemplaire et maudit ; quant au personnage de Manon, son caractère énigmatique se maintient jusqu'à la fin du livre puisque sa mort scelle son repentir mais ôte aussi toute preuve éventuelle de sa nouvelle constance.

Le choix, opéré par l'auteur, d'un récit subjectif explique dans une large mesure l'irrésolution dans laquelle la narration plonge le lecteur. En effet, si le titre de *Manon Lescaut* a vite supplanté celui d'*Histoire du chevalier des Grieux et de Manon Lescaut*, reste que nous accédons aux personnages et à leurs aventures par le seul intermédiaire de l'amant-narrateur, aux prises avec une passion aliénante, dont le langage et le regard constituent une sorte de prisme déformant. Il n'y a d'héroïne que vue par celui qui l'aime et cherche par tous les moyens à l'innocenter pour justifier son attachement. Au reste, rares demeurent les occasions où le chevalier lui cède directement la parole, préférant les discours indirect et narrativisé, voire le silence, qui atténuent sa culpabilité. Pour n'être pas à proprement parler libertine au sens où elle ne fait état d'aucune impiété ni ne manifeste de volonté de puissance, la jeune femme se fait néanmoins manipulatrice lorsqu'il s'agit d'assouvir ses rêves de richesse ; mais des Grieux a soin de présenter cette quête de plaisirs sur un mode ludique et juvénile [1] et la justifie par la modestie de son extraction sociale, qu'encourage encore la société corrompue. L'atmosphère déliquescente dans laquelle baigne l'intrigue, si elle ne se confond pas avec celle de la Régence [2], fournit des circonstances atténuantes à Manon, selon celui qui raconte.

De la confession d'une conscience, le roman glisse imperceptiblement vers le plaidoyer *pro domo* [3] : par son récit, le chevalier cherche à restaurer l'unité de son être, disséminé au gré des aléas de l'existence, tout autant qu'à ennoblir sa passion et l'objet qui la lui inspire. Rompu à l'éloquence scolastique [4] et aux techniques de la casuistique, enseignée chez les jésuites, il use de ses talents de rhéteur pour persuader son père, son ami Tiberge, mais également Renoncour et le lecteur, de la légitimité et de la noblesse

---

1. Si les épisodes tragiques ponctuent la trame romanesque, les héros apparaissent parfois aux prises avec des situations comiques, qu'ils ont volontairement ou non provoquées. Par exemple, des Grieux, Manon et le frère de celle-ci montent une saynète comique pour se jouer d'un des prétendants de la jeune femme, dont le chevalier se fait passer pour le frère (p. 97).

2. On a longtemps situé l'histoire de *Manon Lescaut* au temps de la Régence parce qu'on voyait dans le climat de l'intrigue le reflet du dérèglement des mœurs qui a suivi la mort de Louis XIV, au moment de l'exercice du pouvoir par le duc d'Orléans (1715-1723). Les critiques ont été encouragés dans cette interprétation par l'épisode de la déportation de Manon en Louisiane : ces mouvements de population ne commencèrent pas avant 1717. Cet anachronisme obéit chez Prévost à une nécessité narrative et dramatique. Voir notes 1, p. 35, et 5, p. 40, sur la chronologie interne du roman.

3. Voir note 1, p. 15.

4. *Scolastique* : savoir enseigné depuis le Moyen Âge à l'université ainsi que chez les pères jésuites, qui comprend, entre autres disciplines, la rhétorique entendue comme technique de mise en œuvre des moyens d'expression qui fonde l'art de bien parler.

de ses sentiments, et pour s'attirer l'indulgence de ces derniers. Dans cette perspective, il mobilise des ressources diverses – religieuses, philosophiques, littéraires – visant à préserver sa dignité. Aussi le *je* narrant invoque-t-il, pour expliquer l'incapacité du *je* narré à résister aux charmes de Manon, le motif de la « misère » de l'homme, emprunté au jansénisme [1]. Selon ce courant de pensée issu de l'augustinisme, la volonté humaine ne saurait parvenir au Bien sans le secours de la grâce divine, laquelle se trouve accordée par prédestination gratuite de décret divin. Des Grieux se déclare privé de cette grâce, privation qu'il présente comme la cause de son attrait irrésistible pour les délectations terrestres. Cependant, là où le personnage tente d'absoudre l'abdication de sa volonté, les jansénistes, à l'inverse, réclamaient un rigorisme sans concession. Quittant le domaine théologique, le héros emprunte ailleurs ses arguments à la métaphysique du sentiment, élaborée par Malebranche [2] : il reprend au système de ce philosophe l'idée que plaisirs sensibles et spirituels participent d'une même origine et d'une même orientation vers le bonheur ; mais il se dit prisonnier des charmes de l'amour profane, auxquels il ne substitue finalement pas celui de Dieu, si bien que son âme s'anéantit dans l'abandon à une affectivité toute terrestre. Lorsque le chevalier remplace le Dieu des chrétiens par le panthéon pluriel de l'Antiquité [3], il pare son histoire des oripeaux de la tragédie en vue de se disculper et de rehausser son image : il évoque le destin funeste qui l'accable et la passion qui l'asservit ; il accuse la fatalité qui le voue irrémédiablement au malheur.

---

1. *Jansénisme* : doctrine chrétienne sur la grâce et la prédestination, issue de la pensée de Jansénius (1585-1638), elle-même inspirée par un courant de pensée chrétien se réclamant de saint Augustin (354-430). L'augustinisme accorde tout son rôle à la foi et dénie aux œuvres le pouvoir d'assurer le salut de l'homme.
2. *Malebranche* (1638-1715) : philosophe et théologien français, auteur notamment du *Traité de la nature et de la grâce* et des *Entretiens sur la métaphysique et la religion*.
3. Voir la référence à Vénus et à la Fortune, p. 87-88.

L'ensemble de ces allusions à des forces supérieures qui décide-
raient de la destinée du narrateur répond au souci constant chez
lui de hisser l'histoire qui le lie à Manon au rang des passions presti-
gieuses, contribuant à le préserver d'une ignominie morale notoire
et visant à le décharger de sa responsabilité dans sa chute. Alors que
des Grieux place le tragique en dehors de lui-même, Prévost paraît
suggérer qu'il est inscrit au fond du cœur même de son personnage
et de celui de chaque homme, toujours tiraillé entre la vie intense
que procurent les passions et les écueils contre lesquels elles ne
cessent de le précipiter. C'est de l'impossibilité de ménager un compromis entre ces deux extrémités et peut-être, plus radicalement,
de modifier la nature humaine, que semble naître le choc tragique
que connaît le héros. Dès lors, l'espace narratif apparaît comme
le lieu unique d'une possible conciliation entre les remous de la
passion et la pratique de la vertu, entre le penchant au bonheur
terrestre et la félicité céleste ; lui seul offre une issue au drame exis-
tentiel de la passion, en faisant fluctuer le jugement porté sur les
individus au regard de leurs actions, en interrogeant inlassablement
les conduites humaines, à la manière du chevalier. C'est sans doute
en ce sens qu'il faut comprendre l'indécision du dénouement, qui
marque certes la clôture de l'histoire mais ne solde pas pour autant
les interrogations sur la destinée de son narrateur et encore moins
celles qu'il a fait éclore dans l'esprit du lecteur, en raison notamment du silence final gardé par l'homme de qualité.

Chambre d'écho de la vie de l'abbé Prévost et de ses préoc-
cupations, point de convergence et de confrontation de plusieurs
système de pensée et de normes, champ inépuisable de réflexion
sur l'humaine condition, l'*Histoire du chevalier des Grieux et de
Manon Lescaut* brouille les catégories morales et littéraires et fait
aborder aux rivages du genre narratif la question existentielle du
bonheur, dont on sait la place centrale qu'elle a occupée au siècle
des Lumières. Loin d'offrir des certitudes, elle entérine l'entrée du
roman dans l'ère du doute et de la modernité.

■ *Conduite des filles de joie à la Salpêtrière, sous Louis XV, par Étienne Jeaurat (1699-1789).*

CHRONOLOGIE

1697 1763
1697 1763

- ■ **Repères historiques et culturels**
- ■ **Vie et œuvre de l'auteur**

Repères historiques et culturels

1682   Cavelier de La Salle fonde la Louisiane.

1688   Malebranche, *Entretiens sur la métaphysique et la religion*.

1694   Naissance de Voltaire.

1697   Traité de Ryswick qui met fin à la guerre menée par Louis XIV contre la ligue d'Augsbourg.

1707   Naissance de Crébillon fils.

1709   Lesage, *Turcaret*.

1710–1712   Destruction de l'abbaye de Port-Royal-des-Champs, foyer du jansénisme.

1712   Naissance de Jean-Jacques Rousseau.

1713   Traité d'Utrecht qui met fin à la guerre de Succession d'Espagne : Philippe V conserve la couronne espagnole mais renonce à celle de France.
Bulle *Unigenitus* par laquelle le pape Clément XI condamne le jansénisme.
Challe, *Les Illustres Françaises*.

1715   Mort de Louis XIV ; début de la régence du duc d'Orléans.
Lesage, *Gil Blas de Santillane* (livraison des premiers tomes).

1718   Fondation de La Nouvelle-Orléans ; le développement colonial de la Louisiane s'appuie sur la déportation forcée, le commerce et le travail des esclaves.

1720   Fuite du surintendant des Finances Law dont le système économique, fondé sur le crédit et la circulation de papier-monnaie, se trouve en faillite.
Crise financière ; émeutes parisiennes.
Fin des déportations en Louisiane.

1721   Montesquieu, *Lettres persanes*.

Vie et œuvre de l'auteur

1697 Naissance d'Antoine François Prévost à Hesdin dans
le Pas-de-Calais.

1711 Mort de sa mère.
Première année de rhétorique au collège jésuite d'Hesdin.

1712 Engagement volontaire dans l'armée, à la fin de la guerre de
Succession d'Espagne.

1713 Seconde année de rhétorique au collège d'Harcourt.

1715 Séjour probable en Hollande.

1720 «La malheureuse fin d'un engagement trop tendre», selon les
mots de Prévost lui-même, le conduit à nouveau en France où
il fait profession chez les bénédictins.

Repères historiques et culturels

1723   Mort du Régent ; début du règne personnel de Louis XV.

1724   Lesage, *Gil Blas de Santillane* (t. VII à IX).

1729   Soulèvement des Natchez contre les Anglais en Louisiane.

1730   Marivaux, *Le Jeu de l'amour et du hasard*.

**1731-
1741**   Marivaux, *La Vie de Marianne*.

1732   Voltaire, *Zaïre*.

1734   Voltaire, *Lettres philosophiques*.

1735   Rameau, *Les Indes galantes*.

1736   Crébillon fils, *Les Égarements du cœur et de l'esprit ou Mémoires de M. de Meilcour*.

1739   Hume, *Traité de la nature*.

1740   Naissance de Choderlos de Laclos.

Vie et œuvre de l'auteur

1725 Ordination.

1728 Approbation successive et parution des quatre premiers tomes des *Mémoires et aventures d'un homme de qualité qui s'est retiré du monde*.
Plainte déposée par les bénédictins à l'encontre de Prévost pour une lettre jugée diffamatoire.
Prévost passe en Hollande puis en Angleterre.
En Angleterre, il entre au service de John Eyles comme précepteur.

1730 Liaison avec Mary Eyles, fille du précédent.
Départ pour la Hollande.

1731 Interruption de la rédaction de *Cleveland* pour la reprise de celle des tomes V et VI des *Mémoires et aventures d'un homme de qualité* puis de l'*Histoire du chevalier des Grieux et de Manon Lescaut* (t. VII) qui paraissent à Amsterdam.
Liaison avec Lenki Eckhardt, qui cause à Prévost d'importantes difficultés financières.
Publication des tomes à IV de *Cleveland*.

1733 Publication de la revue *Pour et Contre*, entreprise depuis Londres.
Première édition française, sans autorisation, de *Manon Lescaut*.

1734 Retour clandestin en France.

1735 Parution du tome I du *Doyen de Killerine*.

1736 Prise de fonction comme aumônier du prince de Conti.

1739 Mort de son père, Liévin Prévost.
Suite du *Doyen de Killerine*.

1740 Parution de l'*Histoire d'une Grecque moderne*.

Repères historiques et culturels

1748	Richardson, *Clarisse Harlowe*.
1750-1772	*Encyclopédie*.
1754	Crébillon fils, *La Nuit et le Moment*.
1756	Début de la guerre de Sept Ans qui oppose la Grande-Bretagne à la France et l'Espagne, entre autres.
1759	Voltaire, *Candide*.
1761	Rousseau, *La Nouvelle Héloïse*.
1762	Suite de *Manon Lescaut* attribuée à Laclos.
1763	Traité de Paris qui met fin à la guerre de Sept Ans : la France doit céder à l'Espagne la partie ouest de la Louisiane.

Vie et œuvre de l'auteur

1741   Séjours à Bruxelles et à Francfort.

1746   Établissement à Chaillot en compagnie de Catherine Genty. Fréquentation du salon de Mme du Boccage.

1751   Traduction des *Lettres anglaises, ou Histoire de Miss Clarisse Harlowe* de Richardson.

1752   Entrevues et discussions régulières avec Jean-Jacques Rousseau.

1763   Mort de Prévost, victime d'une crise d'apoplexie.

MEMOIRES
ET
AVANTURES
D'UN HOMME
DE QUALITE
Qui s'est retiré du monde.

TOME SEPTIÈME.

A AMSTERDAM.
Aux dépens de la COMPAGNIE,

MDCCXXXI.

■ Page de titre de l'édition originale de *Manon Lescaut*.

Histoire
du chevalier des Grieux
et de Manon Lescaut

■ Rencontre, dans la cour de l'hôtellerie d'Amiens, de Manon Lescaut et du chevalier des Grieux accompagné de son ami Tiberge. Dessin de J.J. Pasquier, 1753.

Avis de l'auteur
des
Mémoires d'un homme de qualité[1]

Quoique j'eusse pu faire entrer dans mes Mémoires les aventures du chevalier des Grieux, il m'a semblé que n'y ayant point un rapport nécessaire, le lecteur trouverait plus de satisfaction à les voir séparément. Un récit de cette longueur aurait interrompu
5 trop longtemps le fil de ma propre histoire. Tout éloigné que je suis de prétendre à la qualité d'écrivain exact, je n'ignore point qu'une narration doit être déchargée des circonstances qui la rendraient pesante et embarrassée. C'est le précepte d'Horace :

Ut jam nunc dicat jam nunc debentia dici
10 *Pleraque differat, ac præsens in tempus omittat*[2].

Il n'est pas même besoin d'une si grave autorité pour prouver une vérité si simple ; car le bon sens est la première source de cette règle.

---

1. Ainsi est désigné Renoncour, auteur supposé des six tomes des *Mémoires et aventures d'un homme de qualité* – qui précèdent l'*Histoire du chevalier des Grieux et de Manon Lescaut* – présentés comme authentiques. Voir aussi p. 28.
2. Horace (65-8 av. J.-C.), *Art poétique*, v. 43-44 : «On dira tout de suite ce qui doit tout de suite être dit ; on réservera pour plus tard la plupart des détails.»

Si le public a trouvé quelque chose d'agréable et d'intéressant
15 dans l'histoire de ma vie, j'ose lui promettre qu'il ne sera pas
moins satisfait de cette addition. Il verra, dans la conduite de
M. des Grieux, un exemple terrible de la force des passions. J'ai
à peindre un jeune aveugle, qui refuse d'être heureux, pour se précipiter volontairement[1] dans les dernières infortunes[2]; qui, avec
20 toutes les qualités dont se forme le plus brillant mérite, préfère,
par choix, une vie obscure et vagabonde, à tous les avantages de
la fortune et de la nature; qui prévoit ses malheurs, sans vouloir
les éviter; qui les sent et qui en est accablé, sans profiter des remèdes
qu'on lui offre sans cesse et qui peuvent à tous moments les finir;
25 enfin un caractère ambigu, un mélange de vertus et de vices, un
contraste perpétuel de bons sentiments et d'actions mauvaises.
Tel est le fond du tableau que je présente. Les personnes de bon
sens ne regarderont point un ouvrage de cette nature comme un
travail inutile. Outre le plaisir d'une lecture agréable, on y trou-
30 vera peu d'événements qui ne puissent servir à l'instruction des
mœurs; et c'est rendre, à mon avis, un service considérable au
public, que de l'instruire en l'amusant[3].

On ne peut réfléchir sur les préceptes[4] de la morale, sans
être étonné de les voir tout à la fois estimés et négligés; et l'on
35 se demande la raison de cette bizarrerie du cœur humain, qui lui
fait goûter des idées de bien et de perfection, dont il s'éloigne
dans la pratique. Si les personnes d'un certain ordre d'esprit et de
politesse veulent examiner quelle est la matière la plus commune
de leurs conversations, ou même de leurs rêveries solitaires, il
40 leur sera aisé de remarquer qu'elles tournent presque toujours

---

1. L'adverbe fera question dans la confession de des Grieux qui attribue la
série de ses mésaventures bien moins à sa volonté qu'à la fortune.
2. Pareil propos se retrouve dans la bouche de l'ami fidèle du chevalier,
Tiberge (p. 109).
3. En cela, l'œuvre de Prévost se conforme au dogme antique, repris par le
classicisme, du *placere et docere* («plaire et instruire»).
4. *Préceptes* : principes, règles.

sur quelques considérations morales. Les plus doux moments de leur vie sont ceux qu'ils passent, ou seuls, ou avec un ami, à s'entretenir à cœur ouvert des charmes de la vertu, des douceurs de l'amitié, des moyens d'arriver au bonheur, des faiblesses de
45 la nature qui nous en éloignent, et des remèdes qui peuvent les guérir. Horace et Boileau [1] marquent cet entretien comme un des plus beaux traits dont ils composent l'image d'une vie heureuse. Comment arrive-t-il donc qu'on tombe si facilement de ces hautes spéculations et qu'on se retrouve sitôt au niveau du commun
50 des hommes ? Je suis trompé si la raison que je vais en apporter n'explique bien cette contradiction de nos idées et de notre conduite ; c'est que, tous les préceptes de la morale n'étant que des principes vagues et généraux, il est très difficile d'en faire une application particulière au détail des mœurs et des actions.
55 Mettons la chose dans un exemple. Les âmes bien nées sentent que la douceur et l'humanité sont des vertus aimables, et sont portées d'inclination [2] à les pratiquer ; mais sont-elles au moment de l'exercice, elles demeurent souvent suspendues. En est-ce réellement l'occasion ? Sait-on bien quelle en doit être la mesure ?
60 Ne se trompe-t-on point sur l'objet ? Cent difficultés arrêtent. On craint de devenir dupe [3] en voulant être bienfaisant et libéral [4] ; de passer pour faible en paraissant trop tendre et trop sensible ; en un mot, d'excéder ou de ne pas remplir assez des devoirs qui sont renfermés d'une manière trop obscure dans les notions générales
65 d'humanité et de douceur. Dans cette incertitude, il n'y a que l'expérience ou l'exemple qui puisse déterminer raisonnablement le penchant du cœur. Or l'expérience n'est point un avantage qu'il soit libre à tout le monde de se donner ; elle dépend des situations

---

1. Horace, *Satires*, livre I, satire 6 ; Boileau (1636-1711), *Épître* «À Monsieur de Lamoignon», épître 6.
2. *D'inclination* : par goût, disposition naturelle.
3. *Dupe* : trompé, par trop de naïveté.
4. *Libéral* : tolérant.

différentes où l'on se trouve placé par la fortune[1]. Il ne reste donc
70 que l'exemple qui puisse servir de règle à quantité de personnes
dans l'exercice de la vertu. C'est précisément pour cette sorte
de lecteurs que des ouvrages tels que celui-ci peuvent être d'une
extrême utilité, du moins lorsqu'ils sont écrits par une personne
d'honneur et de bon sens. Chaque fait qu'on y rapporte est un
75 degré de lumière, une instruction qui supplée à l'expérience ;
chaque aventure est un modèle d'après lequel on peut se former ; il n'y manque que d'être ajusté aux circonstances où l'on se
trouve. L'ouvrage entier est un traité de morale, réduit agréablement en exercice[2].

80   Un lecteur sévère s'offensera peut-être de me voir reprendre
la plume, à mon âge[3], pour écrire des aventures de fortune et
d'amour ; mais, si la réflexion que je viens de faire est solide, elle
me justifie ; si elle est fausse, mon erreur sera mon excuse.

---

1. Fortune : destinée.
2. Ainsi présentée, l'*Histoire du chevalier des Grieux et de Manon Lescaut* fait
figure d'*exemplum*, de «modèle d'après lequel on peut se former», et l'intrigue
s'y trouve mise au service de l'édification morale du lecteur.
3. Lorsqu'il est censé rédiger ces lignes, entre 1728 et 1730, Renoncour est
âgé d'environ soixante-dix ans.

Première partie

Je suis obligé de faire remonter mon lecteur au temps de ma vie où je rencontrai pour la première fois le chevalier des Grieux. Ce fut environ six mois avant mon départ pour l'Espagne[1]. Quoique je sortisse rarement de ma solitude, la complaisance que j'avais pour ma fille m'engageait quelquefois à divers petits voyages, que j'abrégeais autant qu'il m'était possible[2]. Je revenais un jour de Rouen, où elle m'avait prié d'aller solliciter une affaire au Parlement[3] de Normandie pour la succession de quelques terres auxquelles je lui avais laissé des prétentions du côté de mon grand-père maternel. Ayant repris mon chemin par Évreux, où je couchai la première nuit, j'arrivai le lendemain pour dîner à Pacy, qui en est éloigné de cinq ou six lieues[4]. Je fus surpris, en entrant dans ce bourg, d'y voir tous les habitants en alarme.

---

1. La mention du voyage en Espagne, où Renoncour s'est rendu l'année de la mort de Louis XIV pour suivre un jeune seigneur dont il avait accepté d'être le précepteur, permet de situer sa rencontre avec le chevalier avant la Régence ; mais Prévost ancre les amours du chevalier et de son amante au tournant des années 1719-1720.

2. À la mort de sa femme, le marquis s'est retiré dans un couvent ; cependant, il sort parfois de sa retraite pour solliciter les juges en faveur de sa fille.

3. *Parlement* : Cour souveraine de justice.

4. Pacy-sur-Eure est situé à seize kilomètres d'Évreux. La région est connue de Prévost, qui y prêcha.

Ils se précipitaient de leurs maisons pour courir en foule à la
15 porte d'une mauvaise hôtellerie, devant laquelle étaient deux
chariots couverts. Les chevaux, qui étaient encore attelés et qui
paraissaient fumants de fatigue et de chaleur, marquaient que
ces deux voitures ne faisaient qu'arriver. Je m'arrêtai un moment
pour m'informer d'où venait le tumulte ; mais je tirai peu d'éclair-
20 cissement d'une populace [1] curieuse, qui ne faisait nulle attention
à mes demandes, et qui s'avançait toujours vers l'hôtellerie, en
se poussant avec beaucoup de confusion. Enfin, un archer revêtu
d'une bandoulière, et le mousquet sur l'épaule [2], ayant paru à
la porte, je lui fis signe de la main de venir à moi. Je le priai de
25 m'apprendre le sujet de ce désordre. Ce n'est rien, monsieur, me
dit-il ; c'est une douzaine de filles de joie [3] que je conduis, avec
mes compagnons, jusqu'au Havre-de-Grâce [4], où nous les ferons
embarquer pour l'Amérique. Il y en a quelques-unes de jolies, et
c'est apparemment ce qui excite la curiosité de ces bons paysans.
30 J'aurais passé après cette explication, si je n'eusse été arrêté par
les exclamations d'une vieille femme qui sortait de l'hôtellerie
en joignant les mains, et criant que c'était une chose barbare,
une chose qui faisait horreur et compassion [5]. De quoi s'agit-il
donc ? lui dis-je. Ah ! monsieur, entrez, répondit-elle, et voyez si
35 ce spectacle n'est pas capable de fendre le cœur ! La curiosité me
fit descendre de mon cheval, que je laissai à mon palefrenier [6].
J'entrai avec peine, en perçant la foule, et je vis, en effet, quelque
chose d'assez touchant. Parmi les douze filles qui étaient enchaî-

---

1. *Populace* : terme péjoratif pour désigner le bas peuple.
2. Les archers, décrits ici avec leur uniforme traditionnel de service, étaient
les personnes chargées de l'arrestation et du transport des déportés vers les
colonies.
3. *Filles de joie* : femmes qui mènent une vie de débauche.
4. *Havre-de-Grâce* : port actuel du Havre, d'où partaient les bateaux pour
les colonies d'Amérique.
5. *Compassion* : pitié. La scène suggère à la vieille femme les mêmes émotions
que celles d'une tragédie – terreur et pitié –, selon le précepte aristotélicien.
6. *Palefrenier* : homme chargé du soin des chevaux.

nées six par six par le milieu du corps, il y en avait une dont l'air
40 et la figure étaient si peu conformes à sa condition, qu'en tout
autre état je l'eusse prise pour une personne du premier rang.
Sa tristesse et la saleté de son linge et de ses habits l'enlaidis-
saient si peu que sa vue m'inspira du respect et de la pitié. Elle
tâchait néanmoins de se tourner, autant que sa chaîne pouvait
45 le permettre, pour dérober son visage aux yeux des spectateurs.
L'effort qu'elle faisait pour se cacher était si naturel, qu'il paraissait venir d'un sentiment de modestie [1]. Comme les six gardes qui
accompagnaient cette malheureuse bande étaient aussi dans la
chambre, je pris le chef en particulier et je lui demandai quelques
50 lumières sur le sort de cette belle fille. Il ne put m'en donner que
de fort générales. Nous l'avons tirée de l'Hôpital [2], me dit-il, par
ordre de M. le Lieutenant général de Police. Il n'y a pas d'apparence [3] qu'elle y eût été renfermée pour ses bonnes actions. Je l'ai
interrogée plusieurs fois sur la route, elle s'obstine à ne me rien
55 répondre. Mais, quoique je n'aie pas reçu ordre de la ménager
plus que les autres, je ne laisse pas d'avoir quelques égards pour
elle, parce qu'il me semble qu'elle vaut un peu mieux que ses
compagnes. Voilà un jeune homme, ajouta l'archer, qui pourrait
vous instruire mieux que moi sur la cause de sa disgrâce ; il l'a
60 suivie depuis Paris, sans cesser presque un moment de pleurer. Il
faut que ce soit son frère ou son amant. Je me tournai vers le coin
de la chambre où ce jeune homme était assis. Il paraissait enseveli
dans une rêverie profonde. Je n'ai jamais vu de plus vive image
de la douleur. Il était mis [4] fort simplement ; mais on distingue,

---

1. La présentation de l'héroïne par Renoncour établit d'emblée l'écart qui
existe entre l'apparence de la jeune femme et la réalité de ses actions. Le
narrateur expose la dualité fondamentale de celle-ci.
2. *Hôpital* : établissement parisien de la Salpêtrière dans lequel, par sentence
de police et parfois à la requête des familles, on enfermait les femmes accusées
de «débauches».
3. *Il n'y a pas d'apparence* : il est peu probable.
4. *Il était mis* : il était vêtu.

65 au premier coup d'œil, un homme qui a de la naissance et de
l'éducation. Je m'approchai de lui. Il se leva ; et je découvris dans
ses yeux, dans sa figure et dans tous ses mouvements, un air si fin
et si noble que je me sentis porté naturellement à lui vouloir du
bien[1]. Que je ne vous trouble point, lui dis-je, en m'asseyant près
70 de lui. Voulez-vous bien satisfaire la curiosité que j'ai de connaître
cette belle personne, qui ne me paraît point faite pour le triste
état où je la vois ? Il me répondit honnêtement qu'il ne pouvait
m'apprendre qui elle était sans se faire connaître lui-même, et
qu'il avait de fortes raisons pour souhaiter de demeurer inconnu.
75 Je puis vous dire, néanmoins, ce que ces misérables n'ignorent
point, continua-t-il en montrant les archers, c'est que je l'aime
avec une passion si violente qu'elle me rend le plus infortuné
de tous les hommes[2]. J'ai tout employé, à Paris, pour obtenir sa
liberté. Les sollicitations[3], l'adresse et la force m'ont été inutiles ;
80 j'ai pris le parti de la suivre, dût-elle aller au bout du monde. Je
m'embarquerai avec elle ; je passerai en Amérique. Mais ce qui
est de la dernière inhumanité, ces lâches coquins, ajouta-t-il en
parlant des archers, ne veulent pas me permettre d'approcher
d'elle. Mon dessein était de les attaquer ouvertement, à quelques
85 lieues de Paris. Je m'étais associé quatre hommes qui m'avaient
promis leur secours pour une somme considérable. Les traîtres
m'ont laissé seul aux mains et sont partis avec mon argent.
L'impossibilité de réussir par la force m'a fait mettre les armes
bas[4]. J'ai proposé aux archers de me permettre du moins de les
90 suivre, en leur offrant de les récompenser. Le désir du gain les y
a fait consentir. Ils ont voulu être payés chaque fois qu'ils m'ont

---

1. Comme la présentation de Manon, celle de des Grieux est très favorable
au personnage, paré dès l'ouverture des qualités de beauté, de naissance et
d'honneur que le lecteur attend d'un héros.
2. L'emploi des superlatifs donne un accent romanesque à la confession du
chevalier.
3. *Sollicitations* : démarches, requêtes.
4. *Mettre les armes bas* : déposer les armes.

accordé la liberté de parler à ma maîtresse. Ma bourse s'est épui-
sée en peu de temps, et maintenant que je suis sans un sou, ils
ont la barbarie de me repousser brutalement lorsque je fais un
95 pas vers elle. Il n'y a qu'un instant, qu'ayant osé m'en approcher
malgré leurs menaces, ils ont eu l'insolence de lever contre moi
le bout du fusil. Je suis obligé, pour satisfaire leur avarice et pour
me mettre en état de continuer la route à pied, de vendre ici un
mauvais cheval qui m'a servi jusqu'à présent de monture.

100   Quoiqu'il parût faire assez tranquillement ce récit, il laissa
tomber quelques larmes en le finissant. Cette aventure me parut
des plus extraordinaires et des plus touchantes. Je ne vous presse
pas, lui dis-je, de me découvrir le secret de vos affaires, mais, si
je puis vous être utile à quelque chose, je m'offre volontiers à
105 vous rendre service. Hélas ! reprit-il, je ne vois pas le moindre
jour à l'espérance[1]. Il faut que je me soumette à toute la rigueur
de mon sort[2]. J'irai en Amérique. J'y serai du moins libre avec
ce que j'aime. J'ai écrit à un de mes amis qui me fera tenir quelque secours au Havre-de-Grâce. Je ne suis embarrassé que pour
110 m'y conduire et pour procurer à cette pauvre créature, ajouta-t-il
en regardant tristement sa maîtresse, quelque soulagement sur
la route. Hé bien, lui dis-je, je vais finir votre embarras. Voici
quelque argent que je vous prie d'accepter. Je suis fâché de ne
pouvoir vous servir autrement. Je lui donnai quatre louis d'or[3],
115 sans que les gardes s'en aperçussent, car je jugeais bien que,
s'ils lui savaient cette somme, ils lui vendraient plus chèrement
leurs secours. Il me vint même à l'esprit de faire marché avec
eux pour obtenir au jeune amant la liberté de parler continuel-

---

1. *Je ne vois pas le moindre jour à l'espérance* : je n'ai pas la moindre
lueur d'espoir.
2. Des Grieux se présente comme une victime. Cette condition a pour effet
de le décharger par avance aux yeux du lecteur d'une part de la responsabilité
qu'il a dans sa propre chute.
3. Somme relativement importante que seul un homme de qualité pouvait
offrir.

lement à sa maîtresse jusqu'au Havre. Je fis signe au chef de
120 s'approcher, et je lui en fis la proposition. Il en parut honteux,
malgré son effronterie [1]. Ce n'est pas, monsieur, répondit-il d'un
air embarrassé, que nous refusions de le laisser parler à cette
fille, mais il voudrait être sans cesse auprès d'elle ; cela nous
est incommode ; il est bien juste qu'il paye pour l'incommodité.
125 Voyons donc, lui dis-je, ce qu'il faudrait pour vous empêcher de
la sentir. Il eut l'audace de me demander deux louis. Je les lui
donnai sur-le-champ : Mais prenez garde, lui dis-je, qu'il ne vous
échappe quelque friponnerie [2] ; car je vais laisser mon adresse
à ce jeune homme, afin qu'il puisse m'en informer, et comptez
130 que j'aurai le pouvoir de vous faire punir. Il m'en coûta six louis
d'or. La bonne grâce et la vive reconnaissance avec laquelle ce
jeune inconnu me remercia, achevèrent de me persuader qu'il
était né quelque chose [3], et qu'il méritait ma libéralité [4]. Je dis
quelques mots à sa maîtresse avant que de sortir. Elle me répon-
135 dit avec une modestie si douce et si charmante, que je ne pus
m'empêcher de faire, en sortant, mille réflexions sur le caractère
incompréhensible des femmes.

Étant retourné à ma solitude, je ne fus point informé de la suite
de cette aventure. Il se passa près de deux ans, qui me la firent
140 oublier tout à fait, jusqu'à ce que le hasard me fît renaître l'occasion d'en apprendre à fond toutes les circonstances. J'arrivais
de Londres à Calais [5], avec le marquis de..., mon élève [6]. Nous
logeâmes, si je m'en souviens bien, au *Lion d'Or*, où quelques
raisons nous obligèrent de passer le jour entier et la nuit sui-
145 vante. En marchant l'après-midi dans les rues, je crus apercevoir

---

1. *Effronterie* : audace.

2. *Friponnerie* : action malhonnête.

3. *Il était né quelque chose* : il était de noble naissance.

4. *Libéralité* : générosité.

5. Selon la chronologie des *Mémoires*, le retour d'Angleterre se situerait à l'été
1716 ; selon celle, interne, de *Manon Lescaut*, vers 1721-1722.

6. Renoncour était alors précepteur.

ce même jeune homme dont j'avais fait la rencontre à Pacy. Il était en fort mauvais équipage, et beaucoup plus pâle que je ne l'avais vu la première fois. Il portait sur le bras un vieux porte-manteau [1], ne faisant qu'arriver dans la ville. Cependant, comme il avait la
150 physionomie trop belle pour n'être pas reconnu facilement, je le remis [2] aussitôt. Il faut, dis-je au marquis, que nous abordions ce jeune homme. Sa joie fut plus vive que toute expression, lorsqu'il m'eut remis à son tour. Ah ! monsieur, s'écria-t-il en me baisant la main, je puis donc encore une fois vous marquer mon immortelle
155 reconnaissance ! Je lui demandai d'où il venait. Il me répondit qu'il arrivait, par mer, du Havre-de-Grâce, où il était revenu de l'Amérique peu auparavant. Vous ne me paraissez pas fort bien en argent, lui dis-je. Allez-vous-en au *Lion d'Or*, où je suis logé. Je vous rejoindrai dans un moment. J'y retournai en effet, plein
160 d'impatience d'apprendre le détail de son infortune et les circonstances de son voyage d'Amérique. Je lui fis mille caresses [3], et j'ordonnai qu'on ne le laissât manquer de rien. Il n'attendit point que je le pressasse de me raconter l'histoire de sa vie. Monsieur, me dit-il, vous en usez si noblement avec moi, que je me repro-
165 cherais, comme une basse ingratitude, d'avoir quelque chose de réservé pour vous. Je veux vous apprendre, non seulement mes malheurs et mes peines, mais encore mes désordres et mes plus honteuses faiblesses. Je suis sûr qu'en me condamnant, vous ne pourrez pas vous empêcher de me plaindre.
170 Je dois avertir ici le lecteur que j'écrivis son histoire presque aussitôt après l'avoir entendue, et qu'on peut s'assurer, par conséquent, que rien n'est plus exact et plus fidèle que cette narration. Je dis fidèle jusque dans la relation des réflexions et des sentiments que le jeune aventurier exprimait de la meilleure grâce du

---

1. *Porte-manteau* : valise en toile. La médiocrité du bagage et l'absence de porteur soulignent l'indigence (pauvreté) de des Grieux.
2. *Je le remis* : je le reconnus, je me souvins des circonstances dans lesquelles je l'avais rencontré.
3. *Caresses* : démonstrations d'affection, de bienveillance.

175 monde. Voici donc son récit, auquel je ne mêlerai, jusqu'à la fin, rien qui ne soit de lui.

J'avais dix-sept ans, et j'achevais mes études de philosophie à Amiens [1], où mes parents, qui sont d'une des meilleures maisons de P… [2], m'avaient envoyé. Je menais une vie si sage et si réglée,
180 que mes maîtres me proposaient pour l'exemple du collège. Non que je fisse des efforts extraordinaires pour mériter cet éloge, mais j'ai l'humeur naturellement douce et tranquille : je m'appliquais à l'étude par inclination, et l'on me comptait pour des vertus quelques marques d'aversion naturelle pour le vice. Ma nais-
185 sance, le succès de mes études et quelques agréments extérieurs m'avaient fait connaître et estimer de tous les honnêtes gens de la ville. J'achevai mes exercices publics [3] avec une approbation si générale, que Monsieur l'évêque, qui y assistait, me proposa d'entrer dans l'état ecclésiastique, où je ne manquerais pas, disait-
190 il, de m'attirer plus de distinction que dans l'ordre de Malte [4], auquel mes parents me destinaient. Ils me faisaient déjà porter la croix, avec le nom de chevalier des Grieux. Les vacances arrivant, je me préparais à retourner chez mon père, qui m'avait promis de m'envoyer bientôt à l'Académie [5]. Mon seul regret, en quittant
195 Amiens, était d'y laisser un ami avec lequel j'avais toujours été tendrement uni. Il était de quelques années plus âgé que moi. Nous avions été élevés ensemble, mais le bien de sa maison étant

---

1. Le collège jésuite d'Amiens était un pôle d'enseignement prospère au XVIIIe siècle.
2. Il s'agit peut-être de Péronne, localité située à une cinquantaine de kilomètres d'Amiens.
3. Les exercices publics consistaient en exposés et débats.
4. *Ordre de Malte* : ordre fondé en 1113 pour soigner et protéger les pèlerins qui se rendaient en Terre sainte et qui devint par la suite un ordre militaire. Ses chevaliers pouvaient en porter la croix et le titre dès leur onzième année. Ils faisaient vœu de chasteté, d'obéissance et de pauvreté.
5. *L'Académie* : lieu où les jeunes hommes nobles recevaient leur formation équestre et militaire.

des plus médiocres, il était obligé de prendre l'état ecclésiastique, et de demeurer à Amiens après moi, pour y faire les études qui
200 conviennent à cette profession. Il avait mille bonnes qualités. Vous le connaîtrez par les meilleures dans la suite de mon histoire, et surtout, par un zèle[1] et une générosité en amitié qui surpassent les plus célèbres exemples de l'Antiquité[2]. Si j'eusse alors suivi ses conseils, j'aurais toujours été sage et heureux. Si j'avais, du
205 moins, profité de ses reproches dans le précipice où mes passions m'ont entraîné, j'aurais sauvé quelque chose du naufrage de ma fortune et de ma réputation. Mais il n'a point recueilli d'autre fruit de ses soins que le chagrin de les voir inutiles et, quelquefois, durement récompensés par un ingrat qui s'en offensait, et qui les
210 traitait d'importunités[3].

J'avais marqué le temps de mon départ d'Amiens. Hélas! que ne le marquais-je un jour plus tôt! j'aurais porté chez mon père toute mon innocence[4]. La veille même de celui que je devais quitter cette ville, étant à me promener avec mon ami, qui s'appelait
215 Tiberge, nous vîmes arriver le coche[5] d'Arras, et nous le suivîmes jusqu'à l'hôtellerie[6] où ces voitures descendent. Nous n'avions pas d'autre motif que la curiosité. Il en sortit quelques femmes, qui se retirèrent aussitôt. Mais il en resta une, fort jeune, qui s'arrêta seule dans la cour, pendant qu'un homme d'un âge avancé,
220 qui paraissait lui servir de conducteur, s'empressait pour faire

---

1. Zèle : vive ardeur mise à servir quelqu'un.

2. L'amitié que Tiberge nourrit pour des Grieux rappelle celle d'Oreste et Pylade ou encore celle de Damon et Pythias. Il s'agit pour le romancier de préparer le lecteur à l'attachement exceptionnel, voire invraisemblable, du premier pour le second, tant il fait preuve d'abnégation.

3. Importunités : actions destinées à gêner quelqu'un.

4. L'infortune de des Grieux semble se jouer à un jour près, ce qui contribue, déjà, à le déresponsabiliser.

5. Coche : voiture tirée par des chevaux.

6. Il s'agit de l'auberge du Cardinal, où s'arrêtait à l'époque le coche d'Arras. Ce détail signe le souci de l'auteur de référer à des faits possibles et vraisemblables, de manière à accréditer sa fiction de vérité.

tirer son équipage des paniers[1]. Elle me parut si charmante que moi, qui n'avais jamais pensé à la différence des sexes, ni regardé une fille avec un peu d'attention, moi, dis-je, dont tout le monde admirait la sagesse et la retenue, je me trouvai enflammé tout
225 d'un coup jusqu'au transport[2]. J'avais le défaut d'être excessivement timide et facile à déconcerter; mais loin d'être arrêté alors par cette faiblesse, je m'avançai vers la maîtresse de mon cœur[3]. Quoiqu'elle fût encore moins âgée que moi[4], elle reçut mes politesses[5] sans paraître embarrassée. Je lui demandai ce qui l'amenait
230 à Amiens et si elle y avait quelques personnes de connaissance. Elle me répondit ingénument[6] qu'elle y était envoyée par ses parents pour être religieuse. L'amour me rendait déjà si éclairé, depuis un moment qu'il était dans mon cœur, que je regardai ce dessein comme un coup mortel pour mes désirs. Je lui parlai
235 d'une manière qui lui fit comprendre mes sentiments, car elle était bien plus expérimentée que moi. C'était malgré elle qu'on l'envoyait au couvent, pour arrêter sans doute son penchant au plaisir, qui s'était déjà déclaré et qui a causé, dans la suite, tous ses malheurs et les miens[7]. Je combattis la cruelle intention de
240 ses parents par toutes les raisons que mon amour naissant et mon éloquence scolastique[8] purent me suggérer. Elle n'affecta ni

---

1. Les effets des voyageurs se trouvaient dans des coffres en osier qui surmontaient la diligence.

2. *Transport* : trouble, manifestation agitée du corps sous l'effet de la passion.

3. La rencontre amoureuse, racontée rétrospectivement, prend les allures d'un véritable «coup de foudre».

4. Des Grieux est âgé de dix-sept ans (voir p. 42). Deux ans plus tard, Manon se trouve dans sa dix-huitième année (voir p. 68), si bien que, lors de cette première entrevue, elle a entre quinze et seize ans.

5. *Politesses* : paroles aimables, propos galants.

6. *Ingénument* : naïvement, simplement.

7. L'attrait du plaisir chez Manon est d'emblée indiqué par des Grieux qui y voit la cause essentielle de leur perte. Pour Prévost, cela revient à dévoiler ici l'un des ressorts fondamentaux de son histoire.

8. *Scolastique* : voir note 4, p. 17.

rigueur ni dédain. Elle me dit, après un moment de silence, qu'elle ne prévoyait que trop qu'elle allait être malheureuse, mais que c'était apparemment la volonté du Ciel, puisqu'il ne lui laissait nul moyen de l'éviter. La douceur de ses regards, un air charmant de tristesse en prononçant ces paroles, ou plutôt, l'ascendant de ma destinée [1] qui m'entraînait à ma perte, ne me permirent pas de balancer [2] un moment sur ma réponse. Je l'assurai que, si elle voulait faire quelque fond sur [3] mon honneur et sur la tendresse infinie qu'elle m'inspirait déjà, j'emploierais ma vie pour la délivrer de la tyrannie de ses parents, et pour la rendre heureuse. Je me suis étonné mille fois, en y réfléchissant, d'où me venait alors tant de hardiesse et de facilité à m'exprimer ; mais on ne ferait pas une divinité de l'amour, s'il n'opérait souvent des prodiges [4]. J'ajoutai mille choses pressantes. Ma belle inconnue savait bien qu'on n'est point trompeur à mon âge ; elle me confessa que, si je voyais quelque jour à la pouvoir mettre en liberté, elle croirait m'être redevable de quelque chose de plus cher que la vie. Je lui répétai que j'étais prêt à tout entreprendre, mais, n'ayant point assez d'expérience pour imaginer tout d'un coup les moyens de la servir, je m'en tenais à cette assurance générale, qui ne pouvait être d'un grand secours pour elle et pour moi. Son vieil Argus [5] étant venu nous rejoindre, mes espérances allaient échouer si elle n'eût eu assez d'esprit pour suppléer à la stérilité [6] du mien. Je fus surpris, à l'arrivée de son conducteur, qu'elle m'appelât son cousin et que, sans paraître déconcertée le moins du monde, elle

---

1. *L'ascendant de ma destinée* : l'influence extérieure qui pèse sur mon destin et sur laquelle aucun contrôle n'est possible.

2. *Balancer* : hésiter.

3. *Faire quelque fond sur* : accorder quelque crédit à.

4. Reprise du motif, largement identifiable dans les comédies de Marivaux, selon lequel l'amour est capable de produire des miracles.

5. *Argus* : surveillant, esprit vigilant difficile à tromper.

6. Des Grieux met ainsi en avant son innocence, son incapacité à bâtir des ruses, que ne partage nullement sa maîtresse.

me dît que, puisqu'elle était assez heureuse pour me rencontrer à Amiens, elle remettait au lendemain son entrée dans le couvent, afin de se procurer le plaisir de souper avec moi. J'entrai fort bien
270 dans le sens de cette ruse. Je lui proposai de se loger dans une hôtellerie, dont le maître, qui s'était établi à Amiens, après avoir été longtemps cocher de mon père, était dévoué entièrement à mes ordres. Je l'y conduisis moi-même, tandis que le vieux conducteur paraissait un peu murmurer, et que mon ami Tiberge, qui
275 ne comprenait rien à cette scène, me suivait sans prononcer une parole. Il n'avait point entendu notre entretien. Il était demeuré à se promener dans la cour pendant que je parlais d'amour à ma belle maîtresse. Comme je redoutais sa sagesse, je me défis de lui par une commission dont je le priai de se charger. Ainsi j'eus
280 le plaisir, en arrivant à l'auberge, d'entretenir seul la souveraine de mon cœur. Je reconnus bientôt que j'étais moins enfant que je ne le croyais. Mon cœur s'ouvrit à mille sentiments de plaisir dont je n'avais jamais eu l'idée. Une douce chaleur se répandit dans toutes mes veines. J'étais dans une espèce de transport, qui
285 m'ôta pour quelque temps la liberté de la voix et qui ne s'exprimait que par mes yeux. Mademoiselle Manon Lescaut, c'est ainsi qu'elle me dit qu'on la nommait, parut fort satisfaite de cet effet de ses charmes. Je crus apercevoir qu'elle n'était pas moins émue que moi. Elle me confessa qu'elle me trouvait aimable et qu'elle
290 serait ravie de m'avoir obligation de sa liberté. Elle voulut savoir qui j'étais, et cette connaissance augmenta son affection, parce qu'étant d'une naissance commune, elle se trouva flattée d'avoir fait la conquête d'un amant tel que moi[1]. Nous nous entretînmes des moyens d'être l'un à l'autre. Après quantité de réflexions,
295 nous ne trouvâmes point d'autre voie que celle de la fuite. Il fallait tromper la vigilance du conducteur, qui était un homme à

---

1. La différence des conditions entre les deux amants est d'autant plus importante aux yeux de Manon que la noblesse du chevalier peut constituer un moyen pour elle de s'élever socialement.

ménager, quoiqu'il ne fût qu'un domestique. Nous réglâmes que je ferais préparer pendant la nuit une chaise de poste[1], et que je reviendrais de grand matin à l'auberge avant qu'il fût éveillé; que nous nous déroberions secrètement, et que nous irions droit à Paris, où nous nous ferions marier en arrivant. J'avais environ cinquante écus, qui étaient le fruit de mes petites épargnes; elle en avait à peu près le double[2]. Nous nous imaginâmes, comme des enfants sans expérience, que cette somme ne finirait jamais, et nous ne comptâmes pas moins sur le succès de nos autres mesures.

Après avoir soupé avec plus de satisfaction que je n'en avais jamais ressenti, je me retirai pour exécuter notre projet. Mes arrangements furent d'autant plus faciles, qu'ayant eu dessein de retourner le lendemain chez mon père, mon petit équipage était déjà préparé. Je n'eus donc nulle peine à faire transporter ma malle, et à faire tenir une chaise prête pour cinq heures du matin, qui étaient le temps où les portes de la ville devaient être ouvertes; mais je trouvai un obstacle dont je ne me défiais point, et qui faillit de rompre entièrement mon dessein.

Tiberge, quoique âgé seulement de trois ans plus que moi, était un garçon d'un sens mûr et d'une conduite fort réglées. Il m'aimait avec une tendresse extraordinaire. La vue d'une aussi jolie fille que Mademoiselle Manon, mon empressement à la conduire, et le soin que j'avais eu de me défaire de lui en l'éloignant, lui firent naître quelques soupçons de mon amour. Il n'avait osé revenir à l'auberge, où il m'avait laissé, de peur de m'offenser par son retour; mais il était allé m'attendre à mon logis, où je le trouvai en arrivant, quoiqu'il fût dix heures du soir. Sa présence me chagrina. Il s'aperçut facilement de la contrainte qu'elle me causait. Je suis sûr, me dit-il sans déguisement, que vous méditez

---

1. *Chaise de poste* : petit carrosse pour deux personnes.
2. Les moyens financiers du chevalier et de Manon, s'ils ne sont pas énormes, leur permettent toutefois de bien vivre.

quelque dessein que vous me voulez cacher ; je le vois à votre air. Je lui répondis assez brusquement que je n'étais pas obligé de lui rendre compte de tous mes desseins. Non, reprit-il, mais vous
330 m'avez toujours traité en ami, et cette qualité suppose un peu de confiance et d'ouverture. Il me pressa si fort et si longtemps de lui découvrir mon secret, que, n'ayant jamais eu de réserve avec lui, je lui fis l'entière confidence de ma passion. Il la reçut avec une apparence de mécontentement qui me fit frémir. Je me repentis
335 surtout de l'indiscrétion avec laquelle je lui avais découvert le dessein de ma fuite. Il me dit qu'il était trop parfaitement mon ami pour ne pas s'y opposer de tout son pouvoir ; qu'il voulait me représenter d'abord tout ce qu'il croyait capable de m'en détourner, mais que, si je ne renonçais pas ensuite à cette misérable réso-
340 lution, il avertirait des personnes qui pourraient l'arrêter à coup sûr. Il me tint là-dessus un discours sérieux qui dura plus d'un quart d'heure, et qui finit encore par la menace de me dénoncer, si je ne lui donnais ma parole de me conduire avec plus de sagesse et de raison. J'étais au désespoir de m'être trahi si mal à propos.
345 Cependant, l'amour m'ayant ouvert extrêmement l'esprit depuis deux ou trois heures, je fis attention que je ne lui avais pas découvert que mon dessein devait s'exécuter le lendemain, et je résolus de le tromper à la faveur d'une équivoque[1] : Tiberge, lui dis-je, j'ai cru jusqu'à présent que vous étiez mon ami, et j'ai voulu vous
350 éprouver par cette confidence. Il est vrai que j'aime, je ne vous ai pas trompé, mais, pour ce qui regarde ma fuite, ce n'est point une entreprise à former au hasard. Venez me prendre demain à neuf heures ; je vous ferai voir, s'il se peut[2], ma maîtresse, et vous jugerez si elle mérite que je fasse cette démarche pour elle. Il me
355 laissa seul, après mille protestations[3] d'amitié. J'employai la nuit

---

1. Équivoque : discours qui peut s'entendre de plusieurs manières. Le recours à ce terme n'est pas sans rappeler la casuistique jésuite (voir note 4, p. 8).
2. On note ici la précaution oratoire dont use des Grieux qui lui évite de formuler une promesse tout à fait mensongère.
3. Protestations : témoignages, marques.

à mettre ordre à mes affaires, et m'étant rendu à l'hôtellerie de Mademoiselle Manon vers la pointe du jour, je la trouvai qui m'attendait. Elle était à sa fenêtre, qui donnait sur la rue, de sorte que, m'ayant aperçu, elle vint m'ouvrir elle-même. Nous sortîmes
360 sans bruit. Elle n'avait point d'autre équipage que son linge, dont je me chargeai moi-même. La chaise était en état de partir ; nous nous éloignâmes aussitôt de la ville. Je rapporterai, dans la suite, quelle fut la conduite de Tiberge, lorsqu'il s'aperçut que je l'avais trompé. Son zèle n'en devint pas moins ardent. Vous verrez à
365 quel excès il le porta, et combien je devrais verser de larmes en songeant quelle en a toujours été la récompense.

Nous nous hâtâmes tellement d'avancer que nous arrivâmes à Saint-Denis avant la nuit [1]. J'avais couru à cheval à côté de la chaise, ce qui ne nous avait guère permis de nous entretenir qu'en
370 changeant de chevaux ; mais lorsque nous nous vîmes si proche de Paris, c'est-à-dire presque en sûreté, nous prîmes le temps de nous rafraîchir, n'ayant rien mangé depuis notre départ d'Amiens. Quelque passionné que je fusse pour Manon, elle sut me persuader qu'elle ne l'était pas moins pour moi. Nous étions si peu
375 réservés dans nos caresses, que nous n'avions pas la patience d'attendre que nous fussions seuls. Nos postillons [2] et nos hôtes nous regardaient avec admiration, et je remarquais qu'ils étaient surpris de voir deux enfants de notre âge, qui paraissaient s'aimer jusqu'à la fureur [3]. Nos projets de mariage furent oubliés à Saint-
380 Denis ; nous fraudâmes les droits de l'Église, et nous nous trouvâmes époux sans y avoir fait réflexion. Il est sûr que, du naturel tendre et constant dont je suis, j'étais heureux pour toute ma vie, si Manon m'eût été fidèle. Plus je la connaissais, plus je découvrais en elle de nouvelles qualités aimables. Son esprit, son cœur,

---

1. Il aura ainsi fallu une journée aux deux amants pour parcourir les cent vingt kilomètres qui séparent Amiens de Saint-Denis.

2. *Postillons* : cochers de voitures des postes.

3. *Fureur* : passion sans mesure, créant un état voisin de la folie. Tout se passe donc comme si la raison avait cédé tous ses droits à l'amour.

folie !

385 sa douceur et sa beauté formaient une chaîne si forte et si charmante, que j'aurais mis tout mon bonheur à n'en sortir jamais.
Terrible changement ! Ce qui fait mon désespoir a pu faire [1] ma
félicité. Je me trouve le plus malheureux de tous les hommes, par
cette même constance dont je devais attendre le plus doux de tous
390 les sorts, et les plus parfaites récompenses de l'amour [2].

Nous prîmes un appartement meublé à Paris. Ce fut dans la
rue V... [3] et, pour mon malheur, auprès de la maison de M. de
B..., célèbre fermier général [4]. Trois semaines se passèrent, pendant lesquelles j'avais été si rempli de ma passion que j'avais
395 peu songé à ma famille et au chagrin que mon père avait dû ressentir de mon absence. Cependant, comme la débauche n'avait
nulle part à ma conduite, et que Manon se comportait aussi avec
beaucoup de retenue, la tranquillité où nous vivions servit à me
faire rappeler peu à peu l'idée de mon devoir. Je résolus de me
400 réconcilier, s'il était possible, avec mon père. Ma maîtresse était
si aimable que je ne doutai point qu'elle ne pût lui plaire, si je
trouvais moyen de lui faire connaître sa sagesse et son mérite :
en un mot, je me flattai d'obtenir de lui la liberté de l'épouser,
ayant été désabusé de l'espérance de le pouvoir sans son consen-
405 tement [5]. Je communiquai ce projet à Manon, et je lui fis entendre
qu'outre les motifs de l'amour et du devoir, celui de la nécessité [6] pouvait y entrer aussi pour quelque chose, car nos fonds
étaient extrêmement altérés, et je commençais à revenir de l'opi-

---

1. *A pu faire* : ici, aurait pu faire.
2. La fin du paragraphe dit de manière inattendue et brutale la réversibilité de
la fortune, telle que l'a éprouvée le héros.
3. Il pourrait s'agir de la rue Vivienne, au cœur du quartier de la finance
parisienne.
4. *Fermier général* : financier qui, sous l'Ancien Régime, prenait à ferme
– c'est-à-dire selon une convention qui lui donnait la jouissance d'un bien – le
recouvrement des impôts.
5. Le mariage entre mineurs ne pouvait se passer du consentement paternel,
au risque de priver les héritiers de la succession.
6. *Nécessité* : besoin d'argent.

nion qu'ils étaient inépuisables. Manon reçut froidement cette
410 proposition. Cependant, les difficultés qu'elle y opposa n'étant
prises que de sa tendresse même et de la crainte de me perdre, si
mon père n'entrait point dans notre dessein après avoir connu le
lieu de notre retraite, je n'eus pas le moindre soupçon du coup
cruel qu'on se préparait à me porter. À l'objection de la néces-
415 sité, elle répondit qu'il nous restait encore de quoi vivre quelques
semaines, et qu'elle trouverait, après cela, des ressources dans
l'affection de quelques parents à qui elle écrirait en province. Elle
adoucit son refus par des caresses si tendres et si passionnées,
que moi, qui ne vivais que dans elle, et qui n'avais pas la moin-
420 dre défiance de son cœur, j'applaudis à toutes ses réponses et à
toutes ses résolutions. Je lui avais laissé la disposition de notre
bourse, et le soin de payer notre dépense ordinaire. Je m'aperçus,
peu après, que notre table était mieux servie, et qu'elle s'était
donné quelques ajustements [1] d'un prix considérable. Comme je
425 n'ignorais pas qu'il devait nous rester à peine douze ou quinze
pistoles, je lui marquai mon étonnement de cette augmentation
apparente de notre opulence [2]. Elle me pria, en riant, d'être sans
embarras. Ne vous ai-je pas promis, me dit-elle, que je trouverais
des ressources ? Je l'aimais avec trop de simplicité pour m'alar-
430 mer facilement.

Un jour que j'étais sorti l'après-midi, et que je l'avais aver-
tie que je serais dehors plus longtemps qu'à l'ordinaire, je fus
étonné qu'à mon retour on me fît attendre deux ou trois minutes
à la porte. Nous n'étions servis que par une petite fille qui était
435 à peu près de notre âge. Étant venue m'ouvrir, je lui demandai
pourquoi elle avait tardé si longtemps. Elle me répondit, d'un
air embarrassé, qu'elle ne m'avait point entendu frapper. Je
n'avais frappé qu'une fois ; je lui dis : Mais, si vous ne m'avez pas
entendu, pourquoi êtes-vous donc venue m'ouvrir ? Cette ques-

---

1. *Ajustements* : arrangements, soin de la toilette.
2. *Opulence* : richesse.

440 tion la déconcerta si fort, que, n'ayant point assez de présence
d'esprit pour y répondre, elle se mit à pleurer, en m'assurant que
ce n'était point sa faute, et que madame lui avait défendu d'ouvrir
la porte jusqu'à ce que M. de B... fût sorti par l'autre escalier, qui
répondait au cabinet. Je demeurai si confus, que je n'eus point
445 la force d'entrer dans l'appartement. Je pris le parti de descendre
sous prétexte d'une affaire, et j'ordonnai à cet enfant de dire à
sa maîtresse que je retournerais dans le moment, mais de ne pas
faire connaître qu'elle m'eût parlé de M. de B...[1].

Ma consternation fut si grande, que je versais des larmes en
450 descendant l'escalier, sans savoir encore de quel sentiment elles
partaient. J'entrai dans le premier café et m'y étant assis près
d'une table, j'appuyai la tête sur mes deux mains pour y développer[2] ce qui se passait dans mon cœur. Je n'osais rappeler ce que
je venais d'entendre. Je voulais le considérer comme une illusion,
455 et je fus prêt deux ou trois fois de retourner au logis, sans marquer que j'y eusse fait attention. Il me paraissait si impossible
que Manon m'eût trahi, que je craignais de lui faire injure en la
soupçonnant. Je l'adorais, cela était sûr ; je ne lui avais pas donné
plus de preuves d'amour que je n'en avais reçu d'elle ; pourquoi
460 l'aurais-je accusée d'être moins sincère et moins constante que
moi ? Quelle raison aurait-elle eue de me tromper ? Il n'y avait
que trois heures qu'elle m'avait accablé de ses plus tendres caresses et qu'elle avait reçu les miennes avec transport ; je ne connaissais pas mieux mon cœur que le sien. Non, non, repris-je, il n'est
465 pas possible que Manon me trahisse. Elle n'ignore pas que je ne
vis que pour elle. Elle sait trop bien que je l'adore. Ce n'est pas
là un sujet de me haïr.

Cependant la visite et la sortie furtive de M. de B... me cau-
saient de l'embarras. Je rappelais aussi les petites acquisitions

---

1. La restitution littérale des paroles par l'intermédiaire des discours direct et indirect renforce le caractère dramatique de ce passage.
2. *Développer* : réfléchir à.

470 de Manon, qui me semblaient surpasser nos richesses présen-
tes. Cela paraissait sentir les libéralités d'un nouvel amant. Et
cette confiance qu'elle m'avait marquée pour des ressources qui
m'étaient inconnues ! J'avais peine à donner à tant d'énigmes un
sens aussi favorable que mon cœur le souhaitait. D'un autre côté,
475 je ne l'avais presque pas perdue de vue depuis que nous étions
à Paris. Occupations, promenades, divertissements, nous avions
toujours été l'un à côté de l'autre ; mon Dieu ! un instant de
séparation nous aurait trop affligés. Il fallait nous dire sans cesse
que nous nous aimions ; nous serions morts d'inquiétude sans
480 cela. Je ne pouvais donc m'imaginer presque un seul moment où
Manon pût s'être occupée d'un autre que moi. À la fin, je crus
avoir trouvé le dénouement de ce mystère. M. de B..., dis-je en
moi-même, est un homme qui fait de grosses affaires, et qui a de
grandes relations ; les parents de Manon se seront servis de cet
485 homme pour lui faire tenir quelque argent. Elle en a peut-être déjà
reçu de lui ; il est venu aujourd'hui lui en apporter encore. Elle
s'est fait sans doute un jeu de me le cacher, pour me surprendre
agréablement. Peut-être m'en aurait-elle parlé si j'étais rentré à
l'ordinaire, au lieu de venir ici m'affliger ; elle ne me le cachera
490 pas, du moins, lorsque je lui en parlerai moi-même.

Je me remplis si fortement de cette opinion, qu'elle eut la force
de diminuer beaucoup ma tristesse. Je retournai sur-le-champ au
logis. J'embrassai Manon avec ma tendresse ordinaire. Elle me
reçut fort bien. J'étais tenté d'abord de lui découvrir mes conjec-
495 tures[1], que je regardais plus que jamais comme certaines ; je me
retins, dans l'espérance qu'il lui arriverait peut-être de me prévenir, en m'apprenant tout ce qui s'était passé. On nous servit
à souper. Je me mis à table d'un air fort gai ; mais à la lumière
de la chandelle qui était entre elle et moi, je crus apercevoir de
500 la tristesse sur le visage et dans les yeux de ma chère maîtresse.
Cette pensée m'en inspira aussi. Je remarquai que ses regards s'at-

---

1. Conjectures : suppositions.

tachaient sur moi d'une autre façon qu'ils n'avaient accoutumé. Je ne pouvais démêler si c'était de l'amour ou de la compassion, quoiqu'il me parût que c'était un sentiment doux et languissant[1].

505 Je la regardai avec la même attention ; et peut-être n'avait-elle pas moins de peine à juger de la situation de mon cœur par mes regards. Nous ne pensions ni à parler, ni à manger. Enfin, je vis tomber des larmes de ses beaux yeux : perfides[2] larmes ! Ah Dieux ! m'écriai-je, vous pleurez, ma chère Manon ; vous êtes
510 affligée jusqu'à pleurer, et vous ne me dites pas un seul mot de vos peines. Elle ne me répondit que par quelques soupirs qui augmentèrent mon inquiétude. Je me levai en tremblant. Je la conjurai[3], avec tous les empressements de l'amour, de me découvrir le sujet de ses pleurs ; j'en versai moi-même en essuyant les siens ;
515 j'étais plus mort que vif. Un barbare aurait été attendri des témoignages de ma douleur et de ma crainte. Dans le temps que j'étais ainsi tout occupé d'elle, j'entendis le bruit de plusieurs personnes qui montaient l'escalier. On frappa doucement à la porte. Manon me donna un baiser, et s'échappant de mes bras, elle entra rapi-
520 dement dans le cabinet, qu'elle ferma aussitôt sur elle. Je me figurai qu'étant un peu en désordre, elle voulait se cacher aux yeux des étrangers qui avaient frappé. J'allai leur ouvrir moi-même. À peine avais-je ouvert, que je me vis saisir par trois hommes, que je reconnus pour les laquais de mon père. Ils ne me firent point
525 de violence ; mais deux d'entre eux m'ayant pris par les bras, le troisième visita mes poches, dont il tira un petit couteau qui était le seul fer[4] que j'eusse sur moi. Ils me demandèrent pardon de la nécessité où ils étaient de me manquer de respect ; ils me dirent naturellement qu'ils agissaient par l'ordre de mon père, et que
530 mon frère aîné m'attendait en bas dans un carrosse. J'étais si troublé, que je me laissai conduire sans résister et sans répondre. Mon

---

1. *Languissant* : qui exprime la langueur amoureuse.
2. *Perfides* : traitres, qui trahissent la confiance.
3. *Conjurai* : suppliai, priai.
4. *Fer* : arme en fer.

frère était effectivement à m'attendre. On me mit dans le carrosse, auprès de lui, et le cocher, qui avait ses ordres, nous conduisit à grand train jusqu'à Saint-Denis. Mon frère m'embrassa tendre-
535 ment, mais il ne me parla point, de sorte que j'eus tout le loisir dont j'avais besoin, pour rêver à mon infortune.

J'y trouvai d'abord tant d'obscurité que je ne voyais pas de jour à la moindre conjecture. J'étais trahi cruellement. Mais par qui ? Tiberge fut le premier qui me vint à l'esprit. Traître ! disais-je,
540 c'est fait de ta vie si mes soupçons se trouvent justes. Cependant je fis réflexion qu'il ignorait le lieu de ma demeure, et qu'on ne pouvait, par conséquent, l'avoir appris de lui. Accuser Manon, c'est de quoi mon cœur n'osait se rendre coupable. Cette tristesse extraordinaire dont je l'avais vue comme accablée, ses larmes, le
545 tendre baiser qu'elle m'avait donné en se retirant, me paraissaient bien une énigme ; mais je me sentais porté à l'expliquer comme un pressentiment de notre malheur commun, et dans le temps que je me désespérais de l'accident qui m'arrachait à elle, j'avais la crédulité[1] de m'imaginer qu'elle était encore plus à plaindre
550 que moi. Le résultat de ma méditation fut de me persuader que j'avais été aperçu dans les rues de Paris par quelques personnes de connaissance, qui en avaient donné avis à mon père. Cette pensée me consola. Je comptais d'en être quitte pour des reproches ou pour quelques mauvais traitements, qu'il me faudrait essuyer de
555 l'autorité paternelle. Je résolus de les souffrir avec patience, et de promettre tout ce qu'on exigerait de moi, pour me faciliter l'occasion de retourner plus promptement[2] à Paris, et d'aller rendre la vie et la joie à ma chère Manon.

Nous arrivâmes, en peu de temps, à Saint-Denis. Mon frère,
560 surpris de mon silence, s'imagina que c'était un effet de ma crainte. Il entreprit de me consoler, en m'assurant que je n'avais rien à redouter de la sévérité de mon père, pourvu que je fusse

---

1. Crédulité : naïveté.
2. Promptement : rapidement.

disposé à rentrer doucement dans le devoir, et à mériter l'affection qu'il avait pour moi. Il me fit passer la nuit à Saint-Denis, avec
565 la précaution de faire coucher les trois laquais dans ma chambre. Ce qui me causa une peine sensible, fut de me voir dans la même hôtellerie où je m'étais arrêté avec Manon, en venant d'Amiens à Paris. L'hôte et les domestiques me reconnurent, et devinèrent en même temps la vérité de mon histoire. J'entendis dire à l'hôte :
570 Ah ! c'est ce joli monsieur qui passait, il y a six semaines [1], avec une petite demoiselle qu'il aimait si fort. Qu'elle était charmante ! Les pauvres enfants, comme ils se caressaient [2] ! Pardi, c'est dommage qu'on les ait séparés. Je feignais de ne rien entendre, et je me laissais voir le moins qu'il m'était possible. Mon frère avait, à
575 Saint-Denis, une chaise à deux [3], dans laquelle nous partîmes de grand matin, et nous arrivâmes chez nous le lendemain au soir. Il vit mon père avant moi, pour le prévenir en ma faveur [4] en lui apprenant avec quelle douceur je m'étais laissé conduire, de sorte que j'en fus reçu moins durement que je ne m'y étais attendu. Il
580 se contenta de me faire quelques reproches généraux sur la faute que j'avais commise en m'absentant sans sa permission. Pour ce qui regardait ma maîtresse, il me dit que j'avais bien mérité ce qui venait de m'arriver, en me livrant à une inconnue ; qu'il avait eu meilleure opinion de ma prudence, mais qu'il espérait que
585 cette petite aventure me rendrait plus sage. Je ne pris ce discours que dans le sens qui s'accordait avec mes idées. Je remerciai mon père de la bonté qu'il avait de me pardonner, et je lui promis de prendre une conduite plus soumise et plus réglée. Je triomphais au fond du cœur car de la manière dont les choses s'arrangeaient,

---

1. En réalité, des Grieux est resté un mois à Paris, comme l'indiquent les précisions données plus loin par son père (voir ci-après p. 57).

2. *Se caressaient* : avaient des marques de tendresse l'un pour l'autre, s'embrassaient.

3. *Chaise à deux* : chaise à porteurs pour deux personnes.

4. *Le prévenir en ma faveur* : le mettre dans de bonnes dispositions à mon égard.

590 je ne doutais point que je n'eusse la liberté de me dérober de la maison, même avant la fin de la nuit.

On se mit à table pour souper; on me railla sur ma conquête d'Amiens, et sur ma fuite avec cette fidèle maîtresse. Je reçus les coups de bonne grâce. J'étais même charmé qu'il me fût permis 595 de m'entretenir de ce qui m'occupait continuellement l'esprit. Mais quelques mots lâchés par mon père me firent prêter l'oreille avec la dernière attention : il parla de perfidie et de service intéressé, rendu par Monsieur B... Je demeurai interdit [1] en lui entendant prononcer ce nom, et je le priai humblement de s'expliquer 600 davantage. Il se tourna vers mon frère, pour lui demander s'il ne m'avait pas raconté toute l'histoire. Mon frère lui répondit que je lui avais paru si tranquille sur la route, qu'il n'avait pas cru que j'eusse besoin de ce remède pour me guérir de ma folie. Je remarquai que mon père balançait s'il achèverait de s'expliquer. 605 Je l'en suppliai si instamment qu'il me satisfit, ou plutôt, qu'il m'assassina cruellement par le plus horrible de tous les récits.

Il me demanda d'abord si j'avais toujours eu la simplicité [2] de croire que je fusse aimé de ma maîtresse. Je lui dis hardiment que j'en étais si sûr que rien ne pouvait m'en donner la moindre 610 défiance. Ha! ha! ha! s'écria-t-il en riant de toute sa force, cela est excellent! Tu es une jolie dupe [3], et j'aime à te voir dans ces sentiments-là. C'est grand dommage, mon pauvre Chevalier, de te faire entrer dans l'ordre de Malte, puisque tu as tant de disposition à faire un mari patient et commode. Il ajouta mille railleries 615 de cette force, sur ce qu'il appelait ma sottise et ma crédulité. Enfin, comme je demeurais dans le silence, il continua de me dire que, suivant le calcul qu'il pouvait faire du temps depuis mon départ d'Amiens, Manon m'avait aimé environ douze jours : car, ajouta-t-il, je sais que tu partis d'Amiens le 28 [4], de l'autre mois;

---

1. Interdit : muet.
2. Simplicité : naïveté.
3. Dupe : personne qu'il est aisé de tromper.
4. Du mois de juillet.

620 nous sommes au 29 du présent ; il y en a onze que Monsieur B...
m'a écrit ; je suppose qu'il lui en ait fallu huit pour lier une par-
faite connaissance avec ta maîtresse ; ainsi, qui ôte onze et huit de
trente-un jours qu'il y a depuis le 28 d'un mois jusqu'au 29 de
l'autre, reste douze, un peu plus ou moins [1]. Là-dessus, les éclats
625 de rire recommencèrent. J'écoutais tout avec un saisissement de
cœur auquel j'appréhendais de ne pouvoir résister jusqu'à la fin
de cette triste comédie. Tu sauras donc, reprit mon père, puisque
tu l'ignores, que Monsieur B... [2] a gagné le cœur de ta princesse,
car il se moque de moi, de prétendre me persuader que c'est par
630 un zèle désintéressé pour mon service qu'il a voulu te l'enlever.
C'est bien d'un homme tel que lui, de qui, d'ailleurs, je ne suis
pas connu, qu'il faut attendre des sentiments si nobles [3] ! Il a su
d'elle que tu es mon fils, et pour se délivrer de tes importunités,
il m'a écrit le lieu de ta demeure et le désordre où tu vivais, en
635 me faisant entendre qu'il fallait main-forte pour s'assurer de toi.
Il s'est offert de me faciliter les moyens de te saisir au collet, et
c'est par sa direction et celle de ta maîtresse même que ton frère a
trouvé le moment de te prendre sans vert [4]. Félicite-toi maintenant
de la durée de ton triomphe. Tu sais vaincre assez rapidement,
640 Chevalier ; mais tu ne sais pas conserver tes conquêtes.

Je n'eus pas la force de soutenir plus longtemps un discours
dont chaque mot m'avait percé le cœur. Je me levai de table, et je
n'avais pas fait quatre pas pour sortir de la salle, que je tombai
sur le plancher, sans sentiment et sans connaissance. On me les

---

1. La précision des calculs du père prouve que des Grieux a passé un mois
à Paris et non six semaines, comme l'indiquait plus haut l'hôte d'Amiens
(voir p. 56).
2. Le père supprime la particule du nom du prétendant de Manon, comme
pour le ramener à ses origines roturières.
3. L'ironie du père souligne le caractère peu recommandable de M. de B...
Cela aura pour effet de disculper par avance des Grieux et Manon qui se
joueront de lui.
4. *Prendre sans vert* : prendre au dépourvu.

645 rappela par de prompts secours. J'ouvris les yeux pour verser un
torrent de pleurs, et la bouche pour proférer les plaintes les plus
tristes et les plus touchantes. Mon père, qui m'a toujours aimé
tendrement, s'employa avec toute son affection pour me consoler. Je l'écoutais, mais sans l'entendre. Je me jetai à ses genoux,
650 je le conjurai, en joignant les mains, de me laisser retourner à
Paris pour aller poignarder B... Non, disais-je, il n'a pas gagné le
cœur de Manon, il lui a fait violence ; il l'a séduite par un charme
ou par un poison[1] ; il l'a peut-être forcée brutalement. Manon
m'aime. Ne le sais-je pas bien ? Il l'aura menacée, le poignard à la
655 main, pour la contraindre de m'abandonner. Que n'aura-t-il pas
fait pour me ravir une si charmante maîtresse ! Ô dieux ! dieux !
serait-il possible que Manon m'eût trahi, et qu'elle eût cessé de
m'aimer !

Comme je parlais toujours de retourner promptement à Paris,
660 et que je me levais même à tous moments pour cela, mon père
vit bien que, dans le transport où j'étais, rien ne serait capable de
m'arrêter. Il me conduisit dans une chambre haute, où il laissa
deux domestiques avec moi pour me garder à vue. Je ne me pos-
sédais point. J'aurais donné mille vies pour être seulement un
665 quart d'heure à Paris. Je compris que, m'étant déclaré si ouvertement, on ne me permettrait pas aisément de sortir de ma chambre. Je mesurai des yeux la hauteur des fenêtres ; ne voyant nulle
possibilité de m'échapper par cette voie, je m'adressai doucement
à mes deux domestiques. Je m'engageai, par mille serments, à
670 faire un jour leur fortune, s'ils voulaient consentir à mon évasion.
Je les pressai, je les caressai, je les menaçai ; mais cette tentative
fut encore inutile. Je perdis alors toute espérance. Je résolus de
mourir, et je me jetai sur un lit, avec le dessein de ne le quitter qu'avec la vie. Je passai la nuit et le jour suivant dans cette
675 situation. Je refusai la nourriture qu'on m'apporta le lendemain.

---

1. Les moyens de séduction évoqués, «charme» et «poison», rappellent le
traditionnel philtre d'amour.

Mon père vint me voir l'après-midi. Il eut la bonté de flatter mes peines par les plus douces consolations. Il m'ordonna si absolument de manger quelque chose, que je le fis par respect pour ses ordres. Quelques jours se passèrent, pendant lesquels je ne pris
680 rien qu'en sa présence et pour lui obéir. Il continuait toujours de m'apporter les raisons qui pouvaient me ramener au bons sens et m'inspirer du mépris pour l'infidèle Manon. Il est certain que je ne l'estimais plus ; comment aurais-je estimé la plus volage [1] et la plus perfide de toutes les créatures ? Mais son image, ses traits
685 charmants que je portais au fond du cœur, y subsistaient toujours [2]. Je me sentais bien [3]. Je puis mourir, disais-je ; je le devrais même, après tant de honte et de douleur ; mais je souffrirais mille morts sans pouvoir oublier l'ingrate Manon.

Mon père était surpris de me voir toujours si fortement tou-
690 ché. Il me connaissait des principes d'honneur, et ne pouvant douter que sa trahison ne me la fît mépriser, il s'imagina que ma constance venait moins de cette passion en particulier que d'un penchant général pour les femmes. Il s'attacha tellement à cette pensée que, ne consultant que sa tendre affection, il vint
695 un jour m'en faire l'ouverture [4]. Chevalier, me dit-il, j'ai eu dessein, jusqu'à présent, de te faire porter la croix de Malte ; mais je vois que tes inclinations ne sont point tournées de ce côté-là. Tu aimes les jolies femmes. Je suis d'avis de t'en chercher une qui te plaise. Explique-moi naturellement ce que tu penses là-
700 dessus. Je lui répondis que je ne mettais plus de distinction entre les femmes, et qu'après le malheur qui venait de m'arriver je les détestais toutes également. Je t'en chercherai une, reprit mon père en souriant, qui ressemblera à Manon, et qui sera plus fidèle. Ah !

---

1. *Volage* : infidèle.
2. Le mépris n'exclut pas l'amour. C'est un cas de conscience pour des Grieux qui aime une femme pour laquelle, lors de cet épisode, il n'a pas d'estime.
3. *Je me sentais bien* : j'avais bien conscience de mes forces.
4. *Il vint un jour m'en faire l'ouverture* : il vint un jour s'ouvrir à moi de ce penchant pour les femmes qu'il croyait percevoir en moi.

si vous avez quelque bonté pour moi, lui dis-je, c'est elle qu'il faut
705 me rendre. Soyez sûr, mon cher père, qu'elle ne m'a point trahi ;
elle n'est pas capable d'une si noire et si cruelle lâcheté. C'est le
perfide B... qui nous trompe, vous, elle et moi. Si vous saviez
combien elle est tendre et sincère, si vous la connaissiez, vous
l'aimeriez vous-même. Vous êtes un enfant, repartit [1] mon père.
710 Comment pouvez-vous vous aveugler jusqu'à ce point, après ce
que je vous ai raconté d'elle ? C'est elle-même qui vous a livré
à votre frère. Vous devriez oublier jusqu'à son nom, et profiter,
si vous êtes sage, de l'indulgence que j'ai pour vous. Je recon-
naissais trop clairement qu'il avait raison. C'était un mouvement
715 involontaire [2] qui me faisait prendre ainsi le parti de mon infidèle.
Hélas ! repris-je, après un moment de silence, il n'est que trop vrai
que je suis le malheureux objet de la plus lâche de toutes les perfi-
dies. Oui, continuai-je, en versant des larmes de dépit, je vois bien
que je ne suis qu'un enfant. Ma crédulité ne leur coûtait guère à
720 tromper. Mais je sais bien ce que j'ai à faire pour me venger. Mon
père voulut savoir quel était mon dessein. J'irai à Paris, lui dis-je,
je mettrai le feu à la maison de B..., et je le brûlerai tout vif avec
la perfide Manon. Cet emportement fit rire mon père et ne servit
qu'à me faire garder plus étroitement dans ma prison.

725   J'y passai six mois entiers, pendant le premier desquels il y eut
peu de changements dans mes dispositions. Tous mes sentiments
n'étaient qu'une alternative perpétuelle de haine et d'amour, d'espérance ou de désespoir, selon l'idée sous laquelle Manon s'offrait
à mon esprit. Tantôt je ne considérais en elle que la plus aimable
730 de toutes les filles, et je languissais du désir de la revoir ; tantôt je
n'y apercevais qu'une lâche et perfide maîtresse, et je faisais mille
serments de ne la chercher que pour la punir. On me donna des
livres, qui servirent à rendre un peu de tranquillité à mon âme.

---

1. Repartit : répliqua.
2. L'adjectif a charge de traduire le caractère fatal de la passion de des Grieux
pour Manon : il ne saurait répondre des actes qu'elle va lui inspirer ni être
tenu responsable de ces derniers.

Je relus tous mes auteurs ; j'acquis de nouvelles connaissances ;
735 je repris un goût infini pour l'étude. Vous verrez de quelle utilité
il me fut dans la suite. Les lumières que je devais à l'amour me
firent trouver de la clarté dans quantités d'endroits d'Horace [1]
et de Virgile [2], qui m'avaient paru obscurs auparavant. Je fis un
commentaire amoureux sur le quatrième livre de l'*Énéide* [3] ; je le
740 destine à voir le jour, et je me flatte que le public en sera satisfait [4].
Hélas ! disais-je en le faisant, c'était un cœur tel que le mien qu'il
fallait à la fidèle Didon [5].

Tiberge vint me voir un jour dans ma prison. Je fus surpris du
transport avec lequel il m'embrassa. Je n'avais point encore eu de
745 preuves de son affection qui pussent me la faire regarder autrement que comme une simple amitié de collège, telle qu'elle se
forme entre de jeunes gens qui sont à peu près du même âge. Je le
trouvai si changé et si formé [6], depuis cinq ou six mois que j'avais
passés sans le voir, que sa figure et le ton de son discours m'inspi-
750 rèrent du respect. Il me parla en conseiller sage, plutôt qu'en ami
d'école. Il plaignit l'égarement où j'étais tombé. Il me félicita de
ma guérison, qu'il croyait avancée ; enfin il m'exhorta à [7] profiter

---

1. *Horace* : voir note 2, p. 31.

2. *Virgile* : poète latin (70-19 av. J.-C.).

3. *Énéide* : vaste poème épique de Virgile relatant les aventures d'Énée qui,
contraint à l'exil après la chute de Troie, fonda la nation romaine. Point de
contact avec son héros : l'abbé Prévost lui-même s'est attaché à la traduction
de textes anciens.

4. Par cette prolepse ou anticipation dans le récit, le chevalier forme un projet d'avenir, le seul qu'il formule après être revenu d'Amérique. L'amoureux
transi laisserait place à l'homme de lettres.

5. *Didon* : princesse de Tyr (IXe siècle av. J.-C.) que Virgile, sans se soucier de
la chronologie, a mise en scène aux chants I, IV et VI de l'*Énéide* : elle reçoit
Énée lorsqu'il débarque à Carthage, ville qu'elle a fondée, et s'éprend de lui ;
mais celui-ci l'abandonne pour poursuivre son périple vers l'Italie ; éplorée,
la jeune femme met fin à ses jours au moyen d'un poignard.

6. Tiberge poursuit des études ecclésiastiques.

7. *Il m'exhorta à* : il m'engagea, m'incita vivement à.

de cette erreur de jeunesse pour ouvrir les yeux sur la vanité [1] des plaisirs. Je le regardai avec étonnement. Il s'en aperçut. Mon cher
755 Chevalier, me dit-il, je ne vous dis rien qui ne soit solidement vrai, et dont je ne me sois convaincu par un sérieux examen. J'avais autant de penchant que vous vers la volupté, mais le Ciel m'avait donné, en même temps, du goût pour la vertu. Je me suis servi de ma raison pour comparer les fruits de l'une et de l'autre et je
760 n'ai pas tardé longtemps à découvrir leurs différences. Le secours du Ciel s'est joint à mes réflexions [2]. J'ai conçu pour le monde un mépris auquel il n'y a rien d'égal. Devineriez-vous ce qui m'y retient, ajouta-t-il, et ce qui m'empêche de courir à la solitude [3] ? C'est uniquement la tendre amitié que j'ai pour vous. Je connais
765 l'excellence de votre cœur et de votre esprit ; il n'y a rien de bon dont vous ne puissiez vous rendre capable. Le poison du plaisir vous a fait écarter du chemin. Quelle perte pour la vertu ! Votre fuite d'Amiens m'a causé tant de douleur, que je n'ai pas goûté, depuis, un seul moment de satisfaction. Jugez-en par les démar-
770 ches qu'elle m'a fait faire. Il me raconta qu'après s'être aperçu que je l'avais trompé et que j'étais parti avec ma maîtresse, il était monté à cheval pour me suivre ; mais qu'ayant sur lui quatre ou cinq heures d'avance, il lui avait été impossible de me joindre ; qu'il était arrivé néanmoins à Saint-Denis une demi-heure après
775 mon départ ; qu'étant bien certain que je me serais arrêté à Paris, il y avait passé six semaines à me chercher inutilement ; qu'il allait dans tous les lieux où il se flattait de pouvoir me trouver, et qu'un jour enfin il avait reconnu ma maîtresse à la Comédie ; qu'elle y était dans une parure si éclatante qu'il s'était imaginé
780 qu'elle devait cette fortune à un nouvel amant ; qu'il avait suivi

---

1. *Vanité* : futilité, inconsistance. La double référence à la religion et à la morale contenue dans ce terme institue Tiberge dans le rôle d'un directeur de conscience doublé d'un philosophe chargé d'aiguillonner les semences de vertu chez son ami.
2. La raison ne saurait se passer du secours de la grâce.
3. *Solitude* : retraite dans un couvent.

son carrosse jusqu'à sa maison, et qu'il avait appris d'un domestique qu'elle était entretenue par les libéralités de Monsieur B... Je ne m'arrêtai point là, continua-t-il. J'y retournai le lendemain, pour apprendre d'elle-même ce que vous étiez devenu ; elle me
785 quitta brusquement, lorsqu'elle m'entendit parler de vous, et je fus obligé de revenir en province sans aucun autre éclaircissement. J'y appris votre aventure et la consternation extrême qu'elle vous a causée ; mais je n'ai pas voulu vous voir, sans être assuré de vous trouver plus tranquille.

790 Vous avez donc vu Manon, lui répondis-je en soupirant. Hélas ! vous êtes plus heureux que moi, qui suis condamné à ne la revoir jamais. Il me fit des reproches de ce soupir, qui marquait encore de la faiblesse pour elle. Il me flatta si adroitement sur la bonté de mon caractère et sur mes inclinations, qu'il me fit naître
795 dès cette première visite, une forte envie de renoncer comme lui à tous les plaisirs du siècle [1] pour entrer dans l'état ecclésiastique.

Je goûtai tellement cette idée que, lorsque je me trouvai seul, je ne m'occupai plus d'autre chose. Je me rappelai les discours de M. l'évêque d'Amiens, qui m'avait donné le même conseil, et les
800 présages heureux qu'il avait formés en ma faveur, s'il m'arrivait d'embrasser ce parti [2]. La piété [3] se mêla aussi dans mes considérations. Je mènerai une vie sage et chrétienne, disais-je ; je m'occuperai de l'étude et de la religion, qui ne me permettront point de penser aux dangereux plaisirs de l'amour. Je mépriserai ce
805 que le commun des hommes admire ; et comme je sens assez que mon cœur ne désirera que ce qu'il estime, j'aurai aussi peu d'inquiétudes que de désirs. Je formai là-dessus, d'avance, un système de vie paisible et solitaire. J'y faisais entrer une maison écartée, avec un petit bois et un ruisseau d'eau douce au bout du jardin,
810 une bibliothèque composée de livres choisis ; un petit nombre

---

1. *Siècle* : vie du monde, par opposition à la vie religieuse.
2. *Embrasser ce parti* : choisir l'état ecclésiastique.
3. *Piété* : attachement au service de Dieu, aux devoirs et aux pratiques de la religion.

d'amis vertueux et de bon sens, une table propre, mais frugale[1] et modérée. J'y joignais un commerce de lettres avec un ami qui ferait son séjour à Paris, et qui m'informerait des nouvelles publiques, moins pour satisfaire ma curiosité que pour me faire un
815 divertissement des folles agitations des hommes. Ne serai-je pas heureux ? ajoutais-je ; toutes mes prétentions ne seront-elles point remplies ? Il est certain que ce projet flattait extrêmement mes inclinations. Mais, à la fin d'un si sage arrangement[2], je sentais que mon cœur attendait encore quelque chose, et que, pour
820 n'avoir rien à désirer dans la plus charmante solitude, il y fallait être avec Manon[3].

Cependant, Tiberge continuant de me rendre de fréquentes visites, dans le dessein qu'il m'avait inspiré, je pris l'occasion d'en faire l'ouverture à mon père. Il me déclara que son intention
825 était de laisser ses enfants libres dans le choix de leur condition et que, de quelque manière que je voulusse disposer de moi, il ne se réserverait que le droit de m'aider de ses conseils. Il m'en donna de fort sages, qui tendaient moins à me dégoûter de mon projet, qu'à me le faire embrasser avec connaissance. Le renou-
830 vellement de l'année scolastique[4] approchait. Je convins avec Tiberge de nous mettre ensemble au séminaire de Saint-Sulpice[5], lui pour achever ses études de théologie, et moi pour commencer les miennes. Son mérite, qui était connu de l'évêque du diocèse[6],

---

1. Frugale : qui consiste en aliments peu recherchés.

2. Arrangement : disposition.

3. La raison, la morale chrétienne, et plus encore la sagesse antique, dictent au chevalier de goûter les charmes de l'*otium* – une forme de non-engagement dans quelque activité suivie que ce soit – visant à la tranquillité de l'âme, mais les mouvements irrépressibles de son cœur réduisent à néant ses déclarations vertueuses.

4. Cela correspond à la rentrée scolaire de septembre, ce qui situe les faits un peu plus d'un an après le début de l'action.

5. Établissement situé à Paris où les jeunes gens qui se destinaient à la carrière ecclésiastique se trouvaient, pourvus d'une pension.

6. Diocèse : circonscription ecclésiastique dont la charge revient à un évêque ou à un archevêque.

lui fit obtenir de ce prélat[1] un bénéfice[2] considérable avant notre
835 départ.

Mon père, me croyant tout à fait revenu de ma passion, ne
fit aucune difficulté de me laisser partir. Nous arrivâmes à Paris.
L'habit ecclésiastique prit la place de la croix de Malte, et le nom
d'abbé des Grieux celle de chevalier. Je m'attachai à l'étude avec
840 tant d'application, que je fis des progrès extraordinaires en peu
de mois. J'y employais une partie de la nuit, et je ne perdais pas
un moment du jour. Ma réputation eut tant d'éclat[3], qu'on me
félicitait déjà sur les dignités que je ne pouvais manquer d'obtenir, et sans l'avoir sollicité, mon nom fut couché sur la feuille des
845 bénéfices. La piété n'était pas plus négligée ; j'avais de la ferveur
pour tous les exercices[4]. Tiberge était charmé de ce qu'il regardait comme son ouvrage, et je l'ai vu plusieurs fois répandre des
larmes, en s'applaudissant de ce qu'il nommait ma conversion[5].

Que les résolutions humaines soient sujettes à changer, c'est ce
850 qui ne m'a jamais causé d'étonnement ; une passion les fait naître, une autre passion peut les détruire ; mais quand je pense à la
sainteté de celles qui m'avaient conduit à Saint-Sulpice et à la joie
intérieure que le Ciel m'y faisait goûter en les exécutant, je suis
effrayé de la facilité avec laquelle j'ai pu les rompre. S'il est vrai
855 que les secours célestes sont à tous moments d'une force égale à
celle des passions, qu'on m'explique donc par quel funeste ascendant on se trouve emporté tout d'un coup loin de son devoir, sans
se trouver capable de la moindre résistance[6], et sans ressentir

---

1. *Prélat* : haut dignitaire ecclésiastique.
2. *Bénéfice* : faveur, privilège ; au sens ecclésiastique : patrimoine attaché à
une fonction ou à une dignité.
3. *Ma réputation eut tant d'éclat* : ma réputation fut si bien reconnue de tous.
4. L'application mise à accomplir les exercices ne compte pas moins que la
piété dans la vocation ecclésiastique.
5. *Conversion* : ici, retour à la pratique religieuse.
6. En l'absence de la grâce accordée par Dieu, les sages résolutions de
des Grieux n'ont pas d'efficacité, selon la théologie de la faiblesse qu'il inter-
roge ici.

le moindre remords. Je me croyais absolument délivré des fai-
860 blesses de l'amour. Il me semblait que j'aurais préféré la lecture
d'une page de saint Augustin, ou un quart d'heure de méditation
chrétienne, à tous les plaisirs des sens, sans excepter ceux qui
m'auraient été offerts par Manon. Cependant, un instant malheureux me fit retomber dans le précipice, et ma chute fut d'autant
865 plus irréparable, que me trouvant tout d'un coup au même degré
de profondeur d'où j'étais sorti, les nouveaux désordres où je
tombai me portèrent bien plus loin vers le fond de l'abîme.

J'avais passé près d'un an à Paris, sans m'informer des affaires
de Manon. Il m'en avait d'abord coûté beaucoup pour me faire
870 cette violence ; mais les conseils toujours présents de Tiberge, et
mes propres réflexions, m'avaient fait obtenir la victoire. Les derniers mois s'étaient écoulés si tranquillement que je me croyais
sur le point d'oublier éternellement cette charmante et perfide
créature. Le temps arriva auquel je devais soutenir un exercice
875 public dans l'École de Théologie [1]. Je fis prier plusieurs personnes
de considération de m'honorer de leur présence. Mon nom fut
ainsi répandu dans tous les quartiers de Paris : il alla jusqu'aux
oreilles de mon infidèle. Elle ne le reconnut pas avec certitude sous
le titre d'abbé ; mais un reste de curiosité, ou peut-être quelque
880 repentir de m'avoir trahi (je n'ai jamais pu démêler lequel de ces
deux sentiments) [2] lui fit prendre intérêt à un nom si semblable au
mien ; elle vint en Sorbonne avec quelques autres dames. Elle fut
présente à mon exercice, et sans doute qu'elle eut peu de peine
à me remettre.

885 Je n'eus pas la moindre connaissance de cette visite. On sait
qu'il y a, dans ces lieux, des cabinets particuliers pour les dames,

---

1. Il s'agit d'exercices publics auxquels se soumettaient les candidats au cours
de leur formation.
2. L'hésitation du chevalier sur l'interprétation à donner à la visite de Manon
se fait au profit de celle-ci et lui accorde le bénéfice du doute aux yeux du
lecteur.

où elles sont cachées derrière une jalousie[1]. Je retournai à Saint-Sulpice, couvert de gloire et chargé de compliments. Il était six heures du soir. On vint m'avertir, un moment après mon retour, qu'une dame demandait à me voir. J'allai au parloir sur-le-champ. Dieux! quelle apparition surprenante! j'y trouvai Manon. C'était elle, mais plus aimable et plus brillante que je ne l'avais jamais vue. Elle était dans sa dix-huitième année. Ses charmes surpassaient tout ce qu'on peut décrire. C'était un air si fin, si doux, si engageant, l'air de l'Amour même. Toute sa figure me parut un enchantement[2].

Je demeurai interdit à sa vue, et ne pouvant conjecturer quel était le dessein de cette visite, j'attendais, les yeux baissés et avec tremblement, qu'elle s'expliquât. Son embarras fut, pendant quelque temps, égal au mien, mais, voyant que mon silence continuait, elle mit la main devant ses yeux, pour cacher quelques larmes. Elle me dit, d'un ton timide, qu'elle confessait que son infidélité méritait ma haine; mais que, s'il était vrai que j'eusse jamais eu quelque tendresse pour elle, il y avait eu, aussi, bien de la dureté à laisser passer deux ans sans prendre soin de m'informer de son sort, et qu'il y en avait beaucoup encore à la voir dans l'état où elle était en ma présence, sans lui dire une parole. Le désordre de mon âme, en l'écoutant, ne saurait être exprimé.

Elle s'assit. Je demeurai debout, le corps à demi tourné, n'osant l'envisager directement[3]. Je commençai plusieurs fois une réponse, que je n'eus pas la force d'achever. Enfin, je fis un effort pour m'écrier douloureusement : Perfide Manon! Ah! perfide!

---

1. Les cabinets sont de petits espaces clos dont l'ouverture est fermée par une jalousie, c'est-à-dire une sorte de volet, qui permettait aux femmes de se dérober à la vue des personnes de l'extérieur tout en jouissant du spectacle du dehors.
2. L'abstraction du lexique conjure le caractère charnel de l'attirance de des Grieux pour sa maîtresse.
3. La précision de la notation spatiale, qui l'assimile à une didascalie, jointe aux styles direct et indirect, constitue la scène relatée en scène de théâtre.

perfide ! Elle me répéta, en pleurant à chaudes larmes, qu'elle ne prétendait point justifier sa perfidie. Que prétendez-vous donc ? m'écriai-je encore. Je prétends mourir, répondit-elle, si vous ne me rendez votre cœur, sans lequel il est impossible que je vive. Demande donc ma vie, infidèle ! repris-je en versant moi-même des pleurs, que je m'efforçai en vain de retenir. Demande ma vie, qui est l'unique chose qui me reste à te sacrifier ; car mon cœur n'a jamais cessé d'être à toi. À peine eus-je achevé ces derniers mots, qu'elle se leva avec transport pour venir m'embrasser. Elle m'accabla de mille caresses passionnées. Elle m'appela par tous les noms que l'amour invente pour exprimer ses plus vives tendresses. Je n'y répondais encore qu'avec langueur. Quel passage, en effet, de la situation tranquille où j'avais été, aux mouvements tumultueux que je sentais renaître ! J'en étais épouvanté. Je frémissais, comme il arrive lorsqu'on se trouve la nuit dans une campagne écartée : on se croit transporté dans un nouvel ordre de choses ; on y est saisi d'une horreur secrète, dont on ne se remet qu'après avoir considéré longtemps tous les environs[1].

Nous nous assîmes l'un près de l'autre. Je pris ses mains dans les miennes. Ah ! Manon, lui dis-je en la regardant d'un œil triste, je ne m'étais pas attendu à la noire trahison dont vous avez payé mon amour. Il vous était bien facile de tromper un cœur dont vous étiez la souveraine absolue, et qui mettait toute sa félicité à vous plaire et à vous obéir. Dites-moi maintenant si vous en avez trouvé d'aussi tendres et d'aussi soumis. Non, non, la Nature n'en fait guère de la même trempe que le mien[2]. Dites-moi, du moins, si vous l'avez quelquefois regretté. Quel fond[3] dois-je

---

1. La comparaison établie par le chevalier rejoint l'aveu d'indicibilité qu'il a fait quelques lignes plus haut : sa passion est telle qu'il lui est difficile de l'exprimer sans l'édulcorer.
2. La Nature est tenue pour responsable du caractère exceptionnel de la passion que nourrit des Grieux pour Manon, qui l'a doté d'une propension à aimer sans commune mesure.
3. *Fond* : crédit.

940 faire sur ce retour de bonté qui vous ramène aujourd'hui pour le consoler ? Je ne vois que trop que vous êtes plus charmante que jamais ; mais au nom de toutes les peines que j'ai souffertes pour vous, belle Manon, dites-moi si vous serez plus fidèle.

Elle me répondit des choses si touchantes sur son repentir, et
945 elle s'engagea à la fidélité par tant de protestations et de serments, qu'elle m'attendrit à un degré inexprimable. Chère Manon ! lui dis-je, avec un mélange profane [1] d'expressions amoureuses et théologiques, tu es trop adorable pour une créature. Je me sens le cœur emporté par une délectation [2] victorieuse. Tout ce qu'on
950 dit de la liberté à Saint-Sulpice est une chimère [3]. Je vais perdre ma fortune et ma réputation pour toi, je le prévois bien ; je lis ma destinée dans tes beaux yeux, mais de quelles pertes ne serai-je pas consolé par ton amour ! Les faveurs de la fortune ne me touchent point ; la gloire me paraît une fumée ; tous mes projets
955 de vie ecclésiastique étaient de folles imaginations ; enfin tous les biens différents de ceux que j'espère avec toi sont des biens méprisables, puisqu'ils ne sauraient tenir un moment, dans mon cœur, contre un seul de tes regards.

En lui promettant néanmoins un oubli général de ses fautes, je
960 voulus être informé de quelle manière elle s'était laissé séduire par B… Elle m'apprit que, l'ayant vue à sa fenêtre, il était devenu passionné pour elle ; qu'il avait fait sa déclaration en fermier général, c'est-à-dire en lui marquant dans une lettre que le payement serait proportionné aux faveurs ; qu'elle avait capitulé d'abord, mais
965 sans autre dessein que de tirer de lui quelque somme considé-

---

1. *Profane* : qui est étranger à la religion.

2. Ce terme renvoie au système théologique des deux délectations : à celle de la grâce était opposée celle de la nature, les plaisirs dont elles se trouvaient respectivement la cause se combattant en chaque homme du fait du péché originel. Le mot s'associe à «créature», «adorable» et «liberté» pour entrer dans le champ lexical de la théologie, que le chevalier détourne au profit de son amour.

3. *Chimère* : invention.

rable qui pût servir à nous faire vivre commodément ; qu'il l'avait
éblouie par de si magnifiques promesses, qu'elle s'était laissée
ébranler par degrés [1] ; que je devais juger pourtant de ses remords
par la douleur dont elle m'avait laissé voir des témoignages, la
970 veille de notre séparation ; que, malgré l'opulence dans laquelle
il l'avait entretenue, elle n'avait jamais goûté de bonheur avec
lui, non seulement parce qu'elle n'y trouvait point, me dit-elle,
la délicatesse de mes sentiments et l'agrément de mes manières,
mais parce qu'au milieu même des plaisirs qu'il lui procurait sans
975 cesse, elle portait, au fond du cœur, le souvenir de mon amour,
et le remords de son infidélité. Elle me parla de Tiberge et de la
confusion extrême que sa visite lui avait causée. Un coup d'épée
dans le cœur, ajouta-t-elle, m'aurait moins ému le sang. Je lui
tournai le dos, sans pouvoir soutenir un moment sa présence. Elle
980 continua de me raconter par quels moyens elle avait été instruite
de mon séjour à Paris, du changement de ma condition, et de mes
exercices de Sorbonne [2]. Elle m'assura qu'elle avait été si agitée,
pendant la dispute [3], qu'elle avait eu beaucoup de peine, non seulement à retenir ses larmes, mais ses gémissements mêmes et ses
985 cris, qui avaient été plus d'une fois sur le point d'éclater. Enfin,
elle me dit qu'elle était sortie de ce lieu la dernière, pour cacher
son désordre et que, ne suivant que le mouvement de son cœur
et l'impétuosité [4] de ses désirs, elle était venue droit au séminaire,
avec la résolution d'y mourir si elle ne me trouvait pas disposé à
990 lui pardonner.

Où trouver un barbare qu'un repentir si vif et si tendre n'eût
pas touché ? Pour moi, je sentis, dans ce moment, que j'aurais
sacrifié pour Manon tous les évêchés du monde chrétien. Je
lui demandai quel nouvel ordre elle jugeait à propos de mettre
995 dans nos affaires. Elle me dit qu'il fallait sur-le-champ sortir du

---

1. *Par degrés* : progressivement.

2. *Exercices de Sorbonne* : exercices universitaires.

3. *Dispute* : débat qui suit la soutenance d'un exposé par un candidat.

4. *Impétuosité* : ardeur, fougue.

séminaire, et remettre à nous arranger dans un lieu plus sûr. Je consentis à toutes ses volontés sans réplique. Elle entra dans son carrosse, pour aller m'attendre au coin de la rue. Je m'échappai un moment après, sans être aperçu du portier. Je montai avec elle.

1000 Nous passâmes à la friperie[1]. Je repris les galons et l'épée. Manon fournit aux frais, car j'étais sans un sou ; et dans la crainte que je ne trouvasse de l'obstacle à ma sortie de Saint-Sulpice, elle n'avait pas voulu que je retournasse un moment à ma chambre pour y prendre mon argent. Mon trésor, d'ailleurs, était médiocre, et elle

1005 assez riche des libéralités de B... pour mépriser ce qu'elle me faisait abandonner. Nous conférâmes, chez le fripier même, sur le parti que nous allions prendre. Pour me faire valoir davantage le sacrifice qu'elle me faisait de B..., elle résolut de ne pas garder avec lui le moindre ménagement[2]. Je veux lui laisser ses meubles,

1010 me dit-elle, ils sont à lui ; mais j'emporterai, comme de justice, les bijoux et près de soixante mille francs que j'ai tirés de lui depuis deux ans. Je ne lui ai donné nul pouvoir sur moi, ajouta-t-elle ; ainsi nous pouvons demeurer sans crainte à Paris, en prenant une maison commode où nous vivrons heureusement. Je lui repré-

1015 sentai que, s'il n'y avait point de péril pour elle, il y en avait beaucoup pour moi, qui ne manquerais point tôt ou tard d'être reconnu, et qui serais continuellement exposé au malheur que j'avais déjà essuyé. Elle me fit entendre qu'elle aurait du regret à quitter Paris. Je craignais tant de la chagriner, qu'il n'y avait point

1020 de hasards que je ne méprisasse pour lui plaire ; cependant, nous trouvâmes un tempérament[3] raisonnable, qui fut de louer une maison dans quelque village voisin de Paris, d'où il nous serait aisé d'aller à la ville lorsque le plaisir ou le besoin nous y appellerait. Nous choisîmes Chaillot[4], qui n'en est pas éloigné. Manon

---

1. *Friperie* : magasin où l'on vendait des habits neufs ou d'occasion.
2. *Ménagement* : compromis.
3. *Tempérament* : solution mesurée.
4. Au XVIIIᵉ siècle, *Chaillot* était un village indépendant de Paris.

¹⁰²⁵ retourna sur-le-champ chez elle. J'allai l'attendre à la petite porte du jardin des Tuileries. Elle revint une heure après, dans un carrosse de louage, avec une fille qui la servait, et quelques malles où ses habits et tout ce qu'elle avait de précieux était renfermé.

Nous ne tardâmes point à gagner Chaillot. Nous logeâmes la
¹⁰³⁰ première nuit à l'auberge, pour nous donner le temps de chercher une maison, ou du moins un appartement commode. Nous en trouvâmes, dès le lendemain, un de notre goût.

Mon bonheur me parut d'abord établi d'une manière iné-branlable. Manon était la douceur et la complaisance même. Elle
¹⁰³⁵ avait pour moi des attentions si délicates, que je me crus trop parfaitement dédommagé de toutes mes peines. Comme nous avions acquis tous deux un peu d'expérience, nous raisonnâmes sur la solidité de notre fortune. Soixante mille francs, qui faisaient le fond de nos richesses, n'étaient pas une somme qui pût
¹⁰⁴⁰ s'étendre autant que le cours d'une longue vie. Nous n'étions pas disposés d'ailleurs à resserrer trop notre dépense. La première vertu de Manon, non plus que la mienne, n'était pas l'économie. Voici le plan que je me proposai : soixante mille francs, lui dis-je, peuvent nous soutenir pendant dix ans. Deux mille écus nous
¹⁰⁴⁵ suffiront chaque année, si nous continuons de vivre à Chaillot. Nous y mènerons une vie honnête, mais simple. Notre unique dépense sera pour l'entretien d'un carrosse, et pour les spectacles. Nous nous réglerons. Vous aimez l'Opéra : nous irons deux fois la semaine. Pour le jeu, nous nous bornerons tellement que nos
¹⁰⁵⁰ pertes ne passeront jamais deux pistoles. Il est impossible que, dans l'espace de dix ans, il n'arrive point de changement dans ma famille ; mon père est âgé, il peut mourir. Je me trouverai du bien, et nous serons alors au-dessus de toutes nos autres craintes.

Cet arrangement n'eût pas été la plus folle action de ma vie,
¹⁰⁵⁵ si nous eussions été assez sages pour nous y assujettir [1] constam-

---

1. Assujettir : soumettre.

ment. Mais nos résolutions ne durèrent guère plus d'un mois. Manon était passionnée pour le plaisir ; je l'étais pour elle. Il nous naissait, à tous moments, de nouvelles occasions de dépense ; et loin de regretter les sommes qu'elle employait quelquefois avec
1060 profusion, je fus le premier à lui procurer tout ce que je croyais propre à lui plaire. Notre demeure de Chaillot commença même à lui devenir à charge[1]. L'hiver approchait ; tout le monde retournait à la ville, et la campagne devenait déserte. Elle me proposa de reprendre une maison à Paris. Je n'y consentis point ; mais,
1065 pour la satisfaire en quelque chose, je lui dis que nous pouvions y louer un appartement meublé, et que nous y passerions la nuit lorsqu'il nous arriverait de quitter trop tard l'assemblée[2] où nous allions plusieurs fois la semaine ; car l'incommodité de revenir si tard à Chaillot était le prétexte qu'elle apportait pour le vouloir
1070 quitter. Nous nous donnâmes ainsi deux logements, l'un à la ville, et l'autre à la campagne. Ce changement mit bientôt le dernier désordre dans nos affaires, en faisant naître deux aventures qui causèrent notre ruine.

Manon avait un frère, qui était garde du corps[3]. Il se trouva
1075 malheureusement logé, à Paris, dans la même rue que nous. Il reconnut sa sœur, en la voyant le matin à sa fenêtre. Il accourut aussitôt chez nous. C'était un homme brutal et sans principes d'honneur. Il entra dans notre chambre en jurant horriblement, et comme il savait une partie des aventures de sa sœur, il l'accabla
1080 d'injures et de reproches. J'étais sorti un moment auparavant, ce qui fut sans doute un bonheur pour lui ou pour moi, qui n'étais rien moins que disposé à souffrir une insulte. Je ne retournai au logis qu'après son départ. La tristesse de Manon me fit

---

1. *Lui devenir à charge* : lui peser.
2. *Assemblée* : cercle d'habitués dans lequel on se divertissait.
3. Les gardes du corps étaient attachés à la sécurité de l'État et de ses représentants. Ils avaient la réputation d'être des personnes querelleuses et débauchées, protégées pas leur statut. Il n'était pas rare que, pour s'enrichir, ils exercent des activités illicites.

juger qu'il s'était passé quelque chose d'extraordinaire. Elle me
1085 raconta la scène fâcheuse qu'elle venait d'essuyer, et les menaces
brutales de son frère. J'en eus tant de ressentiment, que j'eusse
couru sur-le-champ à la vengeance si elle ne m'eût arrêté par ses
larmes. Pendant que je m'entretenais avec elle de cette aventure,
le garde du corps rentra dans la chambre où nous étions, sans
1090 s'être fait annoncer. Je ne l'aurais pas reçu aussi civilement que
je fis si je l'eusse connu ; mais, nous ayant salués d'un air riant,
il eut le temps de dire à Manon qu'il venait lui faire des excuses
de son comportement ; qu'il l'avait crue dans le désordre, et que
cette opinion avait allumé sa colère ; mais que, s'étant informé
1095 qui j'étais, d'un de nos domestiques, il avait appris de moi des
choses si avantageuses, qu'elles lui faisaient désirer de bien vivre
avec nous. Quoique cette information, qui lui venait d'un de mes
laquais, eût quelque chose de bizarre et de choquant, je reçus
son compliment avec honnêteté. Je crus faire plaisir à Manon.
1100 Elle paraissait charmée de le voir porté à se réconcilier. Nous le
retînmes à dîner. Il se rendit, en peu de moments, si familier, que
nous ayant entendus parler de notre retour à Chaillot, il voulut
absolument nous tenir compagnie. Il fallut lui donner une place
dans notre carrosse. Ce fut une prise de possession, car il s'accou-
1105 tuma bientôt à nous voir avec tant de plaisir, qu'il fit sa maison
de la nôtre et qu'il se rendit le maître, en quelque sorte, de tout ce
qui nous appartenait. Il m'appelait son frère, et sous prétexte de
la liberté fraternelle, il se mit sur le pied d'amener tous ses amis
dans notre maison de Chaillot, et de les y traiter à nos dépens. Il
1110 se fit habiller magnifiquement à nos frais. Il nous engagea même
à payer toutes ses dettes. Je fermais les yeux sur cette tyrannie,
pour ne pas déplaire à Manon, jusqu'à feindre de ne pas m'apercevoir qu'il tirait d'elle, de temps en temps, des sommes considérables. Il est vrai, qu'étant grand joueur, il avait la fidélité [1] de

---

1. Il s'agit de celle que l'on met à honorer un engagement que l'on a pris
envers quelqu'un.

1115 lui en remettre une partie lorsque la fortune le favorisait ; mais la
nôtre était trop médiocre pour fournir longtemps à des dépenses
si peu modérées. J'étais sur le point de m'expliquer fortement
avec lui, pour nous délivrer de ses importunités, lorsqu'un funeste
accident m'épargna cette peine, en nous en causant une autre qui
1120 nous abîma sans ressource.

Nous étions demeurés un jour à Paris, pour y coucher, comme
il nous arrivait fort souvent. La servante, qui restait seule à Chaillot
dans ces occasions, vint m'avertir, le matin, que le feu avait pris,
pendant la nuit, dans ma maison, et qu'on avait eu beaucoup de
1125 difficulté à l'éteindre. Je lui demandai si nos meubles avaient souffert quelque dommage ; elle me répondit qu'il y avait eu une si
grande confusion, causée par la multitude d'étrangers qui étaient
venus au secours, qu'elle ne pouvait être assurée de rien. Je trem-
blai pour notre argent, qui était renfermé dans une petite caisse.
1130 Je me rendis promptement à Chaillot. Diligence[1] inutile ; la caisse
avait déjà disparu. J'éprouvai alors qu'on peut aimer l'argent sans
être avare. Cette perte me pénétra d'une si vive douleur que j'en
pensai perdre la raison. Je compris tout d'un coup à quels nouveaux malheurs j'allais me trouver exposé ; l'indigence[2] était le
1135 moindre. Je connaissais Manon ; je n'avais déjà que trop éprouvé
que, quelque fidèle et quelque attachée qu'elle me fût dans la
bonne fortune, il ne fallait pas compter sur elle dans la misère.
Elle aimait trop l'abondance et les plaisirs pour me les sacrifier : je la perdrai, m'écriai-je. Malheureux Chevalier, tu vas donc
1140 perdre encore tout ce que tu aimes ! Cette pensée me jeta dans un
trouble si affreux, que je balançai, pendant quelques moments,
si je ne ferais pas mieux de finir tous mes maux par la mort.
Cependant, je conservai assez de présence d'esprit pour vouloir
examiner auparavant s'il ne me restait nulle ressource. Le Ciel me
1145 fit naître une idée, qui arrêta mon désespoir. Je crus qu'il ne me

---

1. *Diligence* : soin.
2. *Indigence* : misère.

serait pas impossible de cacher notre perte à Manon, et que, par industrie [1] ou par quelque faveur du hasard, je pourrais fournir assez honnêtement à son entretien pour l'empêcher de sentir la nécessité. J'ai compté, disais-je pour me consoler, que vingt mille écus nous suffiraient pendant dix ans. Supposons que les dix ans soient écoulés, et que nul des changements que j'espérais ne soit arrivé dans ma famille. Quel parti prendrais-je ? Je ne le sais pas trop bien, mais, ce que je ferais alors, qui m'empêche de le faire aujourd'hui ? Combien de personnes vivent à Paris, qui n'ont ni mon esprit, ni mes qualités naturelles, et qui doivent néanmoins leur entretien à leurs talents, tels qu'ils les ont ! La Providence, ajoutais-je, en réfléchissant sur les différents états de la vie, n'a-t-elle pas arrangé les choses fort sagement ? La plupart des grands et des riches sont des sots : cela est clair à qui connaît un peu le monde. Or il y a là-dedans une justice admirable : s'ils joignaient l'esprit aux richesses, ils seraient trop heureux, et le reste des hommes trop misérable. Les qualités du corps et de l'âme sont accordées à ceux-ci, comme des moyens pour se tirer de la misère et de la pauvreté. Les uns prennent part aux richesses des grands en servant à leurs plaisirs : ils en font des dupes ; d'autres servent à leur instruction : ils tâchent d'en faire d'honnêtes gens ; il est rare, à la vérité, qu'il y réussissent, mais ce n'est pas là le but de la divine Sagesse [2] : ils tirent toujours un fruit de leur soins, qui est de vivre aux dépens de ceux qu'ils instruisent ; et de quelque façon qu'on le prenne, c'est un fond excellent de revenu pour les petits, que la sottise des riches et des grands.

Ces pensées me remirent un peu le cœur et la tête. Je résolus d'abord d'aller consulter M. Lescaut, frère de Manon. Il connaissait parfaitement Paris, et je n'avais eu que trop d'occasions de

---

1. *Industrie* : ruse.

2. Des Grieux mobilise ici un argument que l'on a retrouvé chez Diderot dans *Le Neveu de Rameau*, selon lequel la Providence justifierait la tricherie au jeu pour les plus démunis, exploitant la sottise des plus riches.

1175 reconnaître que ce n'était ni de son bien ni de la paye du roi qu'il
tirait son plus clair revenu[1]. Il me restait à peine vingt pistoles
qui s'étaient trouvées heureusement dans ma poche. Je lui mon-
trai ma bourse, en lui expliquant mon malheur et mes craintes,
et je lui demandai s'il y avait pour moi un parti à choisir entre
1180 celui de mourir de faim, ou de me casser la tête de désespoir. Il
me répondit que se casser la tête était la ressource des sots ; pour
mourir de faim, qu'il y avait quantité de gens d'esprit qui s'y
voyaient réduits, quand ils ne voulaient pas faire usage de leurs
talents ; que c'était à moi d'examiner de quoi j'étais capable ;
1185 qu'il m'assurait de son secours et de ses conseils dans toutes mes
entreprises.

Cela est bien vague, monsieur Lescaut, lui dis-je ; mes besoins
demanderaient un remède plus présent, car que voulez-vous que
je dise à Manon ? À propos de Manon, reprit-il, qu'est-ce qui vous
1190 embarrasse ? N'avez-vous pas toujours, avec elle, de quoi finir
vos inquiétudes quand vous le voudrez ? Une fille comme elle
devrait nous entretenir, vous, elle et moi. Il me coupa la réponse
que cette impertinence méritait, pour continuer de me dire qu'il
me garantissait avant le soir mille écus à partager entre nous, si je
1195 voulais suivre son conseil ; qu'il connaissait un seigneur, si libéral
sur le chapitre des plaisirs, qu'il était sûr que mille écus ne lui coû-
teraient rien pour obtenir les faveurs d'une fille telle que Manon.
Je l'arrêtai. J'avais meilleure opinion de vous, lui répondis-je ; je
m'étais figuré que le motif que vous aviez eu, pour m'accorder
1200 votre amitié, était un sentiment tout opposé à celui où vous êtes
maintenant. Il me confessa impudemment[2] qu'il avait toujours
pensé de même, et que, sa sœur ayant une fois violé les lois de
son sexe[3], quoique en faveur de l'homme qu'il aimait le plus, il

---

1. Voir note 3, p. 74.

2. *Impudemment* : avec aplomb.

3. Manon s'est donnée au chevalier hors mariage ; dès lors, son frère consi-
dère qu'elle appartient à tout homme.

ne s'était réconcilié avec elle que dans l'espérance de tirer parti
1205 de sa mauvaise conduite. Il me fut aise de juger que jusqu'alors
nous avions été ses dupes. Quelque émotion néanmoins que ce
discours m'eût causée, le besoin que j'avais de lui m'obligea de
répondre, en riant, que son conseil était une dernière ressource
qu'il fallait remettre à l'extrémité. Je le priai de m'ouvrir quelque
1210 autre voie. Il me proposa de profiter de ma jeunesse et de la figure
avantageuse que j'avais reçue de la nature, pour me mettre en
liaison avec quelque dame vieille et libérale. Je ne goûtai pas non
plus ce parti, qui m'aurait rendu infidèle à Manon. Je lui parlai du
jeu, comme du moyen le plus facile, et le plus convenable à ma
1215 situation. Il me dit que le jeu, à la vérité, était une ressource, mais
que cela demandait d'être expliqué ; qu'entreprendre de jouer
simplement, avec les espérances communes, c'était le vrai moyen
d'achever ma perte ; que de prétendre exercer seul, et sans être
soutenu, les petits moyens qu'un habile homme emploie pour
1220 corriger la fortune, était un métier trop dangereux ; qu'il y avait
une troisième voie, qui était celle de l'association, mais que ma
jeunesse lui faisait craindre que messieurs les Confédérés ne me
jugeassent point encore les qualités propres à la Ligue[1]. Il me
promit néanmoins ses bons offices[2] auprès d'eux ; et ce que je
1225 n'aurais pas attendu de lui, il m'offrit quelque argent, lorsque je
me trouverais pressé du besoin. L'unique grâce que je lui demandai, dans les circonstances, fut de ne rien apprendre à Manon de
la perte que j'avais faite, et du sujet de notre conversation.

Je sortis de chez lui, moins satisfait encore que je n'y étais
1230 entré ; je me repentis même de lui avoir confié mon secret. Il
n'avait rien fait, pour moi, que je n'eusse pu obtenir de même
sans cette ouverture, et je craignais mortellement qu'il ne man-
quât à la promesse qu'il m'avait faite de ne rien découvrir à

---

1. Les «Confédérés» et la «Ligue» renvoient aux tricheurs qui se réunissaient
en association.
2. *Offices* : services.

Manon. J'avais lieu d'appréhender aussi, par la déclaration de
1235 ses sentiments, qu'il ne formât le dessein de tirer parti d'elle,
suivant ses propres termes, en l'enlevant de mes mains, ou, du
moins, en lui conseillant de me quitter pour s'attacher à quelque
amant plus riche et plus heureux. Je fis là-dessus mille réflexions,
qui n'aboutirent qu'à me tourmenter et à renouveler le désespoir
1240 où j'avais été le matin. Il me vint plusieurs fois à l'esprit d'écrire
à mon père, et de feindre une nouvelle conversion, pour obtenir
de lui quelque secours d'argent ; mais je me rappelai aussitôt
que, malgré toute sa bonté, il m'avait resserré six mois dans une
étroite prison, pour ma première faute ; j'étais bien sûr qu'après
1245 un éclat [1] tel que l'avait dû causer ma fuite de Saint-Sulpice, il me
traiterait beaucoup plus rigoureusement. Enfin, cette confusion
de pensées en produisit une qui remit le calme tout d'un coup
dans mon esprit, et que je m'étonnai de n'avoir pas eue plus tôt,
ce fut de recourir à mon ami Tiberge, dans lequel j'étais bien
1250 certain de retrouver toujours le même fond de zèle et d'amitié.
Rien n'est plus admirable, et ne fait plus d'honneur à la vertu,
que la confiance avec laquelle on s'adresse aux personnes dont
on connaît parfaitement la probité [2]. On sent qu'il n'y a point de
risque à courir. Si elles ne sont pas toujours en état d'offrir du
1255 secours, on est sûr qu'on en obtiendra du moins de la bonté et
de la compassion. Le cœur, qui se ferme avec tant de soin au reste
des hommes, s'ouvre naturellement en leur présence, comme une
fleur s'épanouit à la lumière du soleil, dont elle n'attend qu'une
douce influence.
1260   Je regardai comme un effet de la protection du Ciel de m'être
souvenu si à propos de Tiberge, et je résolus de chercher les
moyens de le voir avant la fin du jour. Je retournai sur-le-champ
au logis pour lui écrire un mot, et lui marquer un lieu propre à
notre entretien. Je lui recommandais le silence et la discrétion,

---

1. *Éclat* : scandale.
2. *Probité* : honnêteté.

1265 comme un des plus importants services qu'il pût me rendre dans la situation de mes affaires. La joie que l'espérance de le voir m'inspirait effaça les traces du chagrin que Manon n'aurait pas manqué d'apercevoir sur mon visage. Je lui parlai de notre malheur de Chaillot comme d'une bagatelle[1] qui ne devait pas l'alar-
1270 mer ; et Paris étant le lieu du monde où elle se voyait avec le plus de plaisir, elle ne fut pas fâchée de m'entendre dire qu'il était à propos d'y demeurer, jusqu'à ce qu'on eût réparé à Chaillot quelques légers effets de l'incendie. Une heure après, je reçus la réponse de Tiberge, qui me promettait de se rendre au lieu de
1275 l'assignation[2]. J'y courus avec impatience. Je sentais néanmoins quelque honte d'aller paraître aux yeux d'un ami, dont la seule présence devait être un reproche de mes désordres, mais l'opinion que j'avais de la bonté de son cœur et l'intérêt de Manon soutinrent ma hardiesse.
1280 Je l'avais prié de se trouver au jardin du Palais-Royal[3]. Il y était avant moi. Il vint m'embrasser, aussitôt qu'il m'eut aperçu. Il me tint serré longtemps entre ses bras, et je sentis mon visage mouillé de ses larmes. Je lui dis que je ne me présentais à lui qu'avec confusion, et que je portais dans le cœur un vif sentiment
1285 de mon ingratitude ; que la première chose dont je le conjurais était de m'apprendre s'il m'était encore permis de le regarder comme mon ami, après avoir mérité si justement de perdre son estime et son affection. Il me répondit, du ton le plus tendre, que rien n'était capable de le faire renoncer à cette qualité ; que mes
1290 malheurs mêmes, et si je lui permettais de le dire, mes fautes et mes désordres, avaient redoublé sa tendresse pour moi ; mais que c'était une tendresse mêlée de la plus vive douleur, telle qu'on la sent pour une personne chère, qu'on voit toucher à sa perte sans pouvoir la secourir.

---

1. *Bagatelle* : chose de peu d'importance.
2. *Lieu de l'assignation* : endroit où les deux amis ont rendez-vous.
3. *Jardin du Palais-Royal* : jardin parisien sur lequel donnait la résidence de Philippe d'Orléans.

1295   Nous nous assîmes sur un banc. Hélas ! lui dis-je, avec un soupir parti du fond du cœur, votre compassion doit être excessive, mon cher Tiberge, si vous m'assurez qu'elle est égale à mes peines. J'ai honte de vous les laisser voir, car je confesse que la cause n'en est pas glorieuse, mais l'effet en est si triste qu'il n'est pas

1300 besoin de m'aimer autant que vous faites pour en être attendri. Il me demanda, comme une marque d'amitié, de lui raconter sans déguisement ce qui m'était arrivé depuis mon départ de Saint-Sulpice. Je le satisfis ; et loin d'altérer quelque chose à la vérité, ou de diminuer mes fautes pour les faire trouver plus excusables,

1305 je lui parlai de ma passion [1] avec toute la force qu'elle m'inspirait. Je la lui représentai comme un de ces coups particuliers du destin qui s'attache à la ruine d'un misérable, et dont il est aussi impossible à la vertu de se défendre qu'il l'a été à la sagesse de les prévoir. Je lui fis une vive peinture de mes agitations, de mes

1310 craintes, du désespoir où j'étais deux heures avant que de le voir, et de celui dans lequel j'allais retomber, si j'étais abandonné par mes amis aussi impitoyablement que par la fortune ; enfin, j'attendris tellement le bon Tiberge, que je le vis aussi affligé par la compassion que je l'étais par le sentiment de mes peines. Il ne

1315 se lassait point de m'embrasser, et de m'exhorter à prendre du courage et de la consolation, mais, comme il supposait toujours qu'il fallait me séparer de Manon, je lui fis entendre nettement que c'était cette séparation même que je regardais comme la plus grande de mes infortunes, et que j'étais disposé à souffrir, non

1320 seulement le dernier excès de la misère, mais la mort la plus cruelle, avant que de recevoir un remède plus insupportable que tous mes maux ensemble.

    Expliquez-vous donc, me dit-il : quelle espèce de secours suis-je capable de vous donner, si vous vous révoltez contre toutes mes

1325 propositions ? Je n'osais lui déclarer que c'était de sa bourse que

---

1. Parce que des Grieux en est la victime, sa passion l'accable et le dédouane tout à la fois.

j'avais besoin. Il le comprit pourtant à la fin, et m'ayant confessé qu'il croyait m'entendre, il demeura quelque temps suspendu, avec l'air d'une personne qui balance. Ne croyez pas, reprit-il bientôt, que ma rêverie vienne d'un refroidissement de zèle et d'amitié. Mais à quelle alternative me réduisez-vous, s'il faut que je vous refuse le seul secours que vous voulez accepter, ou que je blesse mon devoir en vous l'accordant ? car n'est-ce pas prendre part à votre désordre, que de vous y faire persévérer ? Cependant, continua-t-il après avoir réfléchi un moment, je m'imagine que c'est peut-être l'état violent où l'indigence vous jette, qui ne vous laisse pas assez de liberté pour choisir le meilleur parti ; il faut un esprit tranquille pour goûter la sagesse et la vérité. Je trouverai le moyen de vous faire avoir quelque argent. Permettez-moi, mon cher Chevalier, ajouta-t-il en m'embrassant, d'y mettre seulement une condition : c'est que vous m'apprendrez le lieu de votre demeure, et que vous souffrirez que je fasse du moins mes efforts pour vous ramener à la vertu, que je sais que vous aimez, et dont il n'y a que la violence de vos passions qui vous écarte. Je lui accordai sincèrement tout ce qu'il souhaitait, et je le priai de plaindre la malignité[1] de mon sort, qui me faisait profiter si mal des conseils d'un ami si vertueux. Il me mena aussitôt chez un banquier de sa connaissance, qui m'avança cent pistoles sur son billet, car il n'était rien moins qu'en argent comptant. J'ai déjà dit qu'il n'était pas riche. Son bénéfice valait mille écus, mais, comme c'était la première année qu'il le possédait, il n'avait encore rien touché du revenu : c'était sur les fruits futurs qu'il me faisait cette avance.

Je sentis tout le prix de sa générosité. J'en fus touché, jusqu'au point de déplorer l'aveuglement d'un amour fatal, qui me faisait violer tous les devoirs. La vertu eut assez de force pendant quelques moments pour s'élever dans mon cœur contre ma passion, et j'aperçus du moins, dans cet instant de lumière, la honte et

---

1. *Malignité* : disposition qui porte à faire le mal.

l'indignité de mes chaînes. Mais ce combat fut léger et dura peu. La vue de Manon m'aurait fait précipiter du ciel, et je m'étonnai, en me retrouvant près d'elle, que j'eusse pu traiter un moment de honteuse une tendresse si juste pour un objet si charmant.

Manon était une créature d'un caractère extraordinaire. Jamais fille n'eut moins d'attachement qu'elle pour l'argent, mais elle ne pouvait être tranquille un moment, avec la crainte d'en manquer. C'était du plaisir et des passe-temps qu'il lui fallait. Elle n'eût jamais voulu toucher un sou, si l'on pouvait se divertir sans qu'il en coûte. Elle ne s'informait pas même quel était le fonds de nos richesses, pourvu qu'elle pût passer agréablement la journée, de sorte que, n'étant ni excessivement livrée au jeu ni capable d'être éblouie par le faste[1] des grandes dépenses, rien n'était plus facile que de la satisfaire, en lui faisant naître tous les jours des amusements de son goût. Mais c'était une chose si nécessaire pour elle, d'être ainsi occupée par le plaisir, qu'il n'y avait pas le moindre fond à faire, sans cela, sur son humeur et sur ses inclinations. Quoiqu'elle m'aimât tendrement, et que je fusse le seul, comme elle en convenait volontiers, qui pût lui faire goûter parfaitement les douceurs de l'amour, j'étais presque certain que sa tendresse ne tiendrait point contre de certaines craintes. Elle m'aurait préféré à toute la terre avec une fortune médiocre ; mais je ne doutais nullement qu'elle ne m'abandonnât pour quelque nouveau B… lorsqu'il ne me resterait que de la constance et de la fidélité à lui offrir[2]. Je résolus donc de régler si bien ma dépense particulière que je fusse toujours en état de fournir aux siennes, et de me priver plutôt de mille choses nécessaires que de la borner même pour le superflu. Le carrosse m'effrayait plus que tout le reste ; car il n'y avait point d'apparence de pouvoir entretenir des

---

1. *Faste* : splendeur, magnificence.
2. Ici, ce n'est pas tant le caractère vénal de Manon qui se trouve en cause que son penchant pour des plaisirs que seul l'argent peut assurer.

chevaux et un cocher[1]. Je découvris ma peine à M. Lescaut. Je ne lui avais point caché que j'eusse reçu cent pistoles d'un ami. Il me répéta que, si je voulais tenter le hasard du jeu, il ne désespérait point qu'en sacrifiant de bonne grâce une centaine de francs pour traiter ses associés, je ne pusse être admis, à sa recommandation, dans la Ligue[2] de l'Industrie[3]. Quelque répugnance que j'eusse à tromper, je me laissai entraîner par une cruelle nécessité.

M. Lescaut me présenta, le soir même, comme un de ses parents ; il ajouta que j'étais d'autant mieux disposé à réussir, que j'avais besoin des plus grandes faveurs de la fortune. Cependant, pour faire connaître que ma misère n'était pas celle d'un homme de néant, il leur dit que j'étais dans le dessein de leur donner à souper. L'offre fut acceptée. Je les traitai magnifiquement. On s'entretint longtemps de la gentillesse de ma figure et de mes heureuses dispositions. On prétendit qu'il y avait beaucoup à espérer de moi, parce qu'ayant quelque chose dans la physionomie qui sentait l'honnête homme, personne ne se défierait de mes artifices[4]. Enfin, on rendit grâces à M. Lescaut d'avoir procuré à l'Ordre un novice[5] de mon mérite, et l'on chargea un des chevaliers de me donner, pendant quelques jours, les instructions nécessaires. Le principal théâtre de mes exploits devait être l'hôtel de Transylvanie[6], où il y avait une table de pharaon[7] dans une salle et divers autres jeux de cartes et de dés dans la galerie. Cette académie[8] se tenait au profit de M. le prince de R..., qui

---

1. Le carrosse est un poste économique important, qui pouvait coûter quatre mille cinq cents livres par an.
2. *La Ligue* : voir note 1, p. 79.
3. *Industrie* : voir note 1, p. 77.
4. *Artifices* : tours, ruses.
5. *Novice* : débutant.
6. Établissement situé sur la rive gauche de la Seine, devenu un célèbre tripot ; il appartenait au prince François II Rákóczy.
7. *Pharaon* : jeu de cartes.
8. *Académie* : maison de jeu.

demeurait alors à Clagny [1], et la plupart de ses officiers étaient de notre société. Le dirai-je à ma honte ? Je profitai en peu de temps des leçons de mon maître. J'acquis surtout beaucoup d'habileté à faire une volte-face, à filer la carte [2], et m'aidant fort bien d'une longue paire de manchettes, j'escamotais [3] assez légèrement pour tromper les yeux des plus habiles, et ruiner sans affectation quantité d'honnêtes joueurs. Cette adresse extraordinaire hâta si fort les progrès de ma fortune, que je me trouvai en peu de semaines des sommes considérables, outre celles que je partageais de bonne foi avec mes associés. Je ne craignis plus, alors, de découvrir à Manon notre perte de Chaillot, et, pour la consoler, en lui apprenant cette fâcheuse nouvelle, je louai une maison garnie, où nous nous établîmes avec un air d'opulence et de sécurité.

Tiberge n'avait pas manqué, pendant ce temps-là, de me rendre de fréquentes visites. Sa morale ne finissait point. Il recommençait sans cesse à me représenter le tort que je faisais à ma conscience, à mon honneur et à ma fortune. Je recevais ses avis avec amitié, et quoique je n'eusse pas la moindre disposition à les suivre, je lui savais bon gré de son zèle, parce que j'en connaissais la source. Quelquefois je le raillais agréablement, dans la présence même de Manon, et je l'exhortais à n'être pas plus scrupuleux qu'un grand nombre d'évêques et d'autres prêtres, qui savent accorder fort bien une maîtresse avec un bénéfice [4]. Voyez, lui disais-je, en lui montrant les yeux de la mienne, et dites-moi s'il y a des fautes qui ne soient pas justifiées par une si belle cause. Il prenait patience. Il la poussa même assez loin ; mais lorsqu'il vit que mes richesses augmentaient, et que non seulement je lui avais restitué ses cent

---

1. *Clagny* : localité située en région parisienne.
2. Il s'agit d'une technique de tricherie qui consiste, pour le donneur des cartes, à distribuer les mauvaises cartes.
3. De longues manches permettaient au tricheur de dissimuler, à l'insu des autres, une partie de l'argent misé sur la table.
4. Argument selon lequel la dépravation de la société autoriserait, voire justifierait, selon des Grieux, ses propres écarts de conduite.

pistoles, mais qu'ayant loué une nouvelle maison et doublé ma dépense, j'allais me replonger plus que jamais dans les plaisirs, il 1440 changea entièrement de ton et de manières. Il se plaignit de mon endurcissement; il me menaça des châtiments du Ciel, et il me prédit une partie des malheurs qui ne tardèrent guère à m'arriver. Il est impossible, me dit-il, que les richesses qui servent à l'entretien de vos désordres vous soient venues par des voies légitimes. 1445 Vous les avez acquises injustement; elles vous seront ravies[1] de même. La plus terrible punition de Dieu serait de vous en laisser jouir tranquillement. Tous mes conseils, ajouta-t-il, vous ont été inutiles; je ne prévois que trop qu'ils vous seraient bientôt importuns. Adieu, ingrat et faible ami. Puissent vos criminels plaisirs 1450 s'évanouir comme une ombre! Puissent votre fortune et votre argent périr sans ressource, et vous rester seul et nu, pour sentir la vanité des biens qui vous ont follement enivré! C'est alors que vous me trouverez disposé à vous aimer et à vous servir, mais je romps aujourd'hui tout commerce avec vous, et je déteste la vie 1455 que vous menez. Ce fut dans ma chambre, aux yeux de Manon, qu'il me fit cette harangue apostolique[2]. Il se leva pour se retirer. Je voulus le retenir, mais je fus arrêté par Manon, qui me dit que c'était un fou qu'il fallait laisser sortir.

Son discours ne laissa pas[3] de faire quelque impression sur 1460 moi. Je remarque ainsi les diverses occasions où mon cœur sentit un retour vers le bien, parce que c'est à ce souvenir que j'ai dû ensuite une partie de ma force dans les plus malheureuses circonstances de ma vie. Les caresses de Manon dissipèrent, en un moment, le chagrin que cette scène m'avait causé. Nous conti- 1465 nuâmes de mener une vie toute composée de plaisir et d'amour. L'augmentation de nos richesses redoubla notre affection; Vénus

---

1. *Ravies* : retirées.
2. La « harangue », ou discours solennel prononcé par Tiberge, est qualifiée d'« apostolique » parce qu'elle rappelle le ton des Apôtres prêchant le message évangélique.
3. *Ne laissa pas* : ne manqua pas.

et la Fortune [1] n'avaient point d'esclaves plus heureux et plus tendres. Dieux ! pourquoi nommer le monde un lieu de misères, puisqu'on y peut goûter de si charmantes délices ? Mais, hélas !
1470 leur faible est de passer trop vite. Quelle autre félicité voudrait-on se proposer, si elles étaient de nature à durer toujours ? Les nôtres eurent le sort commun, c'est-à-dire de durer peu, et d'être suivies par des regrets amers. J'avais fait, au jeu, des gains si considérables, que je pensais à placer une partie de mon argent.
1475 Mes domestiques n'ignoraient pas mes succès, surtout mon valet de chambre et la suivante de Manon, devant lesquels nous nous entretenions souvent sans défiance. Cette fille était jolie ; mon valet en était amoureux. Ils avaient affaire à des maîtres jeunes et faciles, qu'ils s'imaginèrent pouvoir tromper aisément. Ils en
1480 conçurent le dessein, et ils l'exécutèrent si malheureusement pour nous, qu'ils nous mirent dans un état dont il ne nous a jamais été possible de nous relever.

M. Lescaut nous ayant un jour donné à souper, il était environ minuit lorsque nous retournâmes au logis. J'appelai mon valet, et
1485 Manon sa femme de chambre ; ni l'un ni l'autre ne parurent. On nous dit qu'ils n'avaient point été vus dans la maison depuis huit heures, et qu'ils étaient sortis après avoir fait transporter quelques caisses, suivant les ordres qu'ils disaient avoir reçus de moi. Je pressentis une partie de la vérité, mais je ne formai point de soup-
1490 çons qui ne fussent surpassés par ce que j'aperçus en entrant dans ma chambre. La serrure de mon cabinet avait été forcée, et mon argent enlevé, avec tous mes habits. Dans le temps que je réfléchissais, seul, sur cet accident, Manon vint, tout effrayée, m'apprendre qu'on avait fait le même ravage dans son appartement.
1495 Le coup me parut si cruel qu'il n'y eut qu'un effort extraordinaire de raison qui m'empêcha de me livrer aux cris et aux pleurs. La crainte de communiquer mon désespoir à Manon me fit affecter

---

1. **Vénus et la Fortune** : divinités antiques incarnant respectivement l'Amour et la puissance qui distribue le bonheur et le malheur sans règle apparente.

de prendre un visage tranquille. Je lui dis, en badinant [1], que je me vengerais sur quelque dupe à l'hôtel de Transylvanie. Cependant, elle me sembla si sensible à notre malheur, que sa tristesse eut bien plus de force pour m'affliger, que ma joie feinte n'en avait eu pour l'empêcher d'être trop abattue. Nous sommes perdus ! me dit-elle, les larmes aux yeux. Je m'efforçai en vain de la consoler par mes caresses ; mes propres pleurs trahissaient mon désespoir et ma consternation. En effet, nous étions ruinés si absolument, qu'il ne nous restait pas une chemise.

Je pris le parti d'envoyer chercher sur-le-champ M. Lescaut. Il me conseilla d'aller, à l'heure même, chez M. le Lieutenant de Police et M. le Grand Prévôt de Paris [2]. J'y allai, mais ce fut pour mon plus grand malheur ; car outre que cette démarche et celles que je fis faire à ces deux officiers de justice ne produisirent rien, je donnai le temps à Lescaut d'entretenir sa sœur, et de lui inspirer, pendant mon absence, une horrible résolution. Il lui parla de M. de G... M..., vieux voluptueux, qui payait prodiguement [3] les plaisirs, et il lui fit envisager tant d'avantages à se mettre à sa solde, que, troublée comme elle était par notre disgrâce, elle entra dans tout ce qu'il entreprit de lui persuader. Cet honorable marché fut conclu avant mon retour, et l'exécution remise au lendemain, après que Lescaut aurait prévenu M. de G... M... Je le trouvai qui m'attendait au logis ; mais Manon s'était couchée dans son appartement, et elle avait donné ordre à son laquais de me dire qu'ayant besoin d'un peu de repos, elle me priait de la laisser seule pendant cette nuit. Lescaut me quitta, après m'avoir offert quelques pistoles que j'acceptai. Il était près de quatre heures, lorsque je me mis au lit, et m'y étant encore occupé longtemps des moyens de rétablir ma fortune, je m'endormis si tard, que je ne pus me réveiller que vers onze heures ou midi.

---

1. Badinant : plaisantant avec légèreté.
2. C'est en son nom que l'on rendait alors la justice à Paris.
3. Prodiguement : généreusement.

Je me levai promptement pour aller m'informer de la santé de
Manon ; on me dit qu'elle était sortie, une heure auparavant, avec
1530 son frère, qui l'était venu prendre dans un carrosse de louage.
Quoiqu'une telle partie, faite avec Lescaut, me parût mystérieuse,
je me fis violence pour suspendre mes soupçons. Je laissai couler
quelques heures, que je passai à lire. Enfin, n'étant plus le maître
de mon inquiétude, je me promenai à grands pas dans nos appar-
1535 tements. J'aperçus, dans celui de Manon, une lettre cachetée qui
était sur sa table. L'adresse était à moi, et l'écriture de sa main. Je
l'ouvris avec un frisson mortel ; elle était dans ces termes :

Je te jure, mon cher Chevalier, que tu es l'idole de mon cœur,
et qu'il n'y a que toi au monde que je puisse aimer de la façon
1540 dont je t'aime ; mais ne vois-tu pas, ma pauvre chère âme, que,
dans l'état où nous sommes réduits, c'est une sotte vertu que la
fidélité ? Crois-tu qu'on puisse être bien tendre lorsqu'on manque
de pain ? La faim me causerait quelque méprise fatale ; je rendrais
quelque jour le dernier soupir, en croyant en pousser un d'amour.
1545 Je t'adore, compte là-dessus ; mais laisse-moi, pour quelque temps,
le ménagement de notre fortune. Malheur à qui va tomber dans
mes filets ! Je travaille pour rendre mon Chevalier riche et heureux. Mon frère t'apprendra des nouvelles de ta Manon, et qu'elle
a pleuré de la nécessité de te quitter.

1550 Je demeurai, après cette lecture, dans un état qui me serait difficile à décrire car j'ignore encore aujourd'hui par quelle espèce de
sentiments je fus alors agité. Ce fut une de ces situations uniques
auxquelles on n'a rien éprouvé qui soit semblable. On ne saurait
les expliquer aux autres, parce qu'ils n'en ont pas l'idée ; et l'on a
1555 peine à se les bien démêler à soi-même, parce qu'étant seules de
leur espèce, cela ne se lie à rien dans la mémoire, et ne peut même
être rapproché d'aucun sentiment connu [1]. Cependant, de quel-

---

1. C'est pourtant la deuxième fois que Manon explique au chevalier qu'elle
le trompe par amour. Elle avait déjà justifié sa liaison avec M. de B... de cette
manière (voir p. 70-71).

que nature que fussent les miens, il est certain qu'il devait y entrer de la douleur, du dépit, de la jalousie et de la honte. Heureux s'il n'y fût pas entré encore plus d'amour! Elle m'aime, je le veux croire; mais ne faudrait-il pas, m'écriai-je, qu'elle fût un monstre pour me haïr? Quels droits eut-on jamais sur un cœur que je n'aie pas sur le sien? Que me reste-t-il à faire pour elle, après tout ce que je lui ai sacrifié? Cependant elle m'abandonne! et l'ingrate se croit à couvert de mes reproches en me disant qu'elle ne cesse pas de m'aimer! Elle appréhende la faim. Dieu d'amour! quelle grossièreté de sentiments! et que c'est répondre mal à ma délicatesse! Je ne l'ai pas appréhendée, moi qui m'y expose si volontiers pour elle en renonçant à ma fortune et aux douceurs de la maison de mon père; moi qui me suis retranché jusqu'au nécessaire pour satisfaire ses petites humeurs et ses caprices. Elle m'adore, dit-elle. Si tu m'adorais, ingrate, je sais bien de qui tu aurais pris des conseils; tu ne m'aurais pas quitté, du moins, sans me dire adieu. C'est à moi qu'il faut demander quelles peines cruelles on sent à se séparer de ce qu'on adore. Il faudrait avoir perdu l'esprit pour s'y exposer volontairement.

Mes plaintes furent interrompues par une visite à laquelle je ne m'attendais pas. Ce fut celle de Lescaut. Bourreau! lui dis-je en mettant l'épée à la main, où est Manon? qu'en as-tu fait? Ce mouvement l'effraya; il me répondit que, si c'était ainsi que je le recevais lorsqu'il venait me rendre compte du service le plus considérable qu'il eût pu me rendre, il allait se retirer, et ne remettrait jamais le pied chez moi. Je courus à la porte de la chambre, que je fermai soigneusement. Ne t'imagine pas, lui dis-je en me tournant vers lui, que tu puisses me prendre encore une fois pour dupe et me tromper par des fables [1]. Il faut défendre ta vie, ou me faire retrouver Manon. Là! que vous êtes vif! repartit-il; c'est l'unique sujet qui m'amène. Je viens vous annoncer un bonheur auquel vous ne pensez pas, et pour lequel vous reconnaîtrez peut-

---

1. *Fables* : mensonges.

1590 être que vous m'avez quelque obligation. Je voulus être éclairci sur-le-champ.

Il me raconta que Manon, ne pouvant soutenir la crainte de la misère, et surtout l'idée d'être obligée tout d'un coup à la réforme de notre équipage[1], l'avait prié de lui procurer la 1595 connaissance de M. de G... M..., qui passait pour un homme généreux. Il n'eut garde de me dire que le conseil était venu de lui, ni qu'il eût préparé les voies, avant que de l'y conduire. Je l'y ai menée ce matin, continua-t-il, et cet honnête homme a été si charmé de son mérite, qu'il l'a invitée d'abord à lui tenir com-1600 pagnie à sa maison de campagne, où il est allé passer quelques jours. Moi, ajouta Lescaut, qui ai pénétré tout d'un coup de quel avantage cela pouvait être pour vous, je lui ai fait entendre adroitement que Manon avait essuyé des pertes considérables, et j'ai tellement piqué sa générosité, qu'il a commencé par lui 1605 faire un présent de deux cents pistoles. Je lui ai dit que cela était honnête pour le présent, mais que l'avenir amènerait à ma sœur de grands besoins, qu'elle s'était chargée, d'ailleurs, du soin d'un jeune frère qui nous était resté sur les bras après la mort de nos père et mère, et que, s'il la croyait digne de son estime, il ne 1610 la laisserait pas souffrir dans ce pauvre enfant qu'elle regardait comme la moitié d'elle-même. Ce récit n'a pas manqué de l'attendrir. Il s'est engagé à louer une maison commode, pour vous et pour Manon, car c'est vous-même qui êtes ce pauvre petit frère orphelin. Il a promis de vous meubler proprement, et de vous 1615 fournir, tous les mois quatre cents bonnes livres, qui en feront, si je compte bien, quatre mille huit cents à la fin de chaque année. Il a laissé ordre à son intendant, avant que de partir pour sa campagne, de chercher une maison, et de la tenir prête pour son retour. Vous reverrez alors Manon, qui m'a chargé de vous 1620 embrasser mille fois pour elle, et de vous assurer qu'elle vous aime plus que jamais.

---

1. *Réforme de notre équipage* : fait de renoncer à posséder un carrosse.

Je m'assis, en rêvant à cette bizarre disposition de mon sort. Je me trouvai dans un partage de sentiments[1], et par conséquent dans une incertitude si difficile à terminer, que je demeurai long-temps sans répondre à quantité de questions que Lescaut me fai-sait l'une sur l'autre. Ce fut, dans ce moment, que l'honneur et la vertu me firent sentir encore les pointes du remords, et que je jetai les yeux, en soupirant, vers Amiens[2], vers la maison de mon père, vers Saint-Sulpice et vers tous les lieux où j'avais vécu dans l'inno-cence. Par quel immense espace n'étais-je pas séparé de cet heu-reux état! Je ne le voyais plus que de loin, comme une ombre qui s'attirait encore mes regrets et mes désirs, mais trop faible pour exciter mes efforts. Par quelle fatalité, disais-je, suis-je devenu si criminel? L'amour est une passion innocente; comment s'est-il changé, pour moi, en une source de misères et de désordres[3]? Qui m'empêchait de vivre tranquille et vertueux avec Manon? Pourquoi ne l'épousais-je point, avant que d'obtenir rien de son amour? Mon père, qui m'aimait si tendrement, n'y aurait-il pas consenti si je l'en eusse pressé avec des instances[4] légitimes? Ah! mon père l'aurait chérie lui-même, comme une fille charmante, trop digne d'être la femme de son fils; je serais heureux avec l'amour de Manon, avec l'affection de mon père, avec l'estime des honnêtes gens, avec les biens de la fortune et la tranquillité de la vertu. Revers funeste! Quel est l'infâme personnage qu'on vient ici me proposer? Quoi! j'irai partager... Mais y a-t-il à balancer, si c'est Manon qui l'a réglé, et si je la perds sans cette complaisance? Monsieur Lescaut, m'écriai-je en fermant les yeux comme pour écarter de si chagrinantes réflexions, si vous avez eu dessein de me servir, je vous rends grâces. Vous auriez pu prendre

---

1. Dans un partage de sentiments : dans des sentiments partagés.

2. Voir p. 43.

3. Des Grieux voit en l'amour une «passion innocente» en elle-même; ce sont, selon le principal intéressé, des circonstances extérieures aux amants qui la rendent coupable.

4. Instances : prières, demandes.

1650 une voie plus honnête ; mais c'est une chose finie, n'est-ce pas ? Ne pensons donc plus qu'à profiter de vos soins et à remplir votre projet. Lescaut, à qui ma colère, suivie d'un fort long silence, avait causé de l'embarras, fut ravi de me voir prendre un parti tout différent de celui qu'il avait appréhendé sans doute ; il n'était rien 1655 moins que brave, et j'en eus de meilleures preuves dans la suite. Oui, oui, se hâta-t-il de me répondre, c'est un fort bon service que je vous ai rendu, et vous verrez que nous en tirerons plus d'avantage que vous ne vous y attendez. Nous concertâmes de quelle manière nous pourrions prévenir les défiances que M. de 1660 G… M… pouvait concevoir de notre fraternité, en me voyant plus grand et un peu plus âgé peut-être qu'il ne se l'imaginait. Nous ne trouvâmes point d'autre moyen, que de prendre devant lui un air simple et provincial, et de lui faire croire que j'étais dans le dessein d'entrer dans l'état ecclésiastique, et que j'allais pour cela 1665 tous les jours au collège. Nous résolûmes aussi que je me mettrais[1] fort mal, la première fois que je serais admis à l'honneur de le saluer. Il revint à la ville trois ou quatre jours après ; il conduisit lui-même Manon dans la maison que son intendant[2] avait eu soin de préparer. Elle fit avertir aussitôt Lescaut de son retour ; 1670 et celui-ci m'en ayant donné avis, nous nous rendîmes tous deux chez elle. Le vieil amant en était déjà sorti.

Malgré la résignation avec laquelle je m'étais soumis à ses volontés, je ne pus réprimer le murmure de mon cœur en la revoyant. Je lui parus triste et languissant. La joie de la retrouver 1675 ne l'emportait pas tout à fait sur le chagrin de son infidélité. Elle, au contraire, paraissait transportée du plaisir de me revoir. Elle me fit des reproches de ma froideur. Je ne pus m'empêcher de laisser échapper les noms de perfide et d'infidèle, que j'accompagnai d'autant de soupirs. Elle me railla d'abord de ma simplicité ;

---

1. *Je me mettrais* : je m'habillerais.
2. *Intendant* : régisseur, personne chargée d'administrer la maison et les biens d'un riche particulier.

1680 mais, lorsqu'elle vit mes regards s'attacher toujours tristement sur elle, et la peine que j'avais à digérer un changement si contraire à mon humeur et à mes désirs, elle passa seule dans son cabinet[1]. Je la suivis un moment après. Je l'y trouvai tout en pleurs ; je lui demandai ce qui les causait. Il t'est bien aisé de le voir, me dit-elle,
1685 comment veux-tu que je vive, si ma vue n'est plus propre qu'à te causer un air sombre et chagrin ? Tu ne m'as pas fait une seule caresse, depuis une heure que tu es ici, et tu as reçu les miennes avec la majesté du Grand Turc au Sérail[2].

Écoutez, Manon, lui répondis-je en l'embrassant, je ne puis
1690 vous cacher que j'ai le cœur mortellement affligé. Je ne parle point à présent des alarmes[3] où votre fuite imprévue m'a jeté, ni de la cruauté que vous avez eue de m'abandonner sans un mot de consolation, après avoir passé la nuit dans un autre lit que moi. Le charme de votre présence m'en ferait bien oublier
1695 davantage. Mais croyez-vous que je puisse penser sans soupirs, et même sans larmes, continuai-je en en versant quelques-unes, à la triste et malheureuse vie que vous voulez que je mène dans cette maison ? Laissons ma naissance et mon honneur à part : ce ne sont plus des raisons si faibles qui doivent entrer en concurrence
1700 avec un amour tel que le mien ; mais cet amour même, ne vous imaginez-vous pas qu'il gémit de se voir si mal récompensé, ou plutôt traité si cruellement par une ingrate et dure maîtresse ?… Elle m'interrompit : tenez, dit-elle, mon Chevalier, il est inutile de me tourmenter par des reproches qui me percent le cœur, lors-
1705 qu'ils viennent de vous. Je vois ce qui vous blesse. J'avais espéré que vous consentiriez au projet que j'avais fait pour rétablir un

---

1. *Cabinet* : petite pièce située à l'écart.
2. Manon se reconnaîtrait-elle dans les femmes de harem qui entourent le Grand Turc en son palais ? Elle reproche du moins à son amant de ne pas lui témoigner suffisamment de tendresse. On voit ici l'habileté dont elle est capable pour tourner les apparences en sa faveur et toucher la corde sensible de des Grieux.
3. *Alarmes* : vives inquiétudes.

peu notre fortune, et c'était pour ménager votre délicatesse [1] que j'avais commencé à l'exécuter sans votre participation ; mais j'y renonce, puisque vous ne l'approuvez pas. Elle ajouta qu'elle ne me demandait qu'un peu de complaisance [2], pour le reste du jour ; qu'elle avait déjà reçu deux cents pistoles de son vieil amant, et qu'il lui avait promis de lui apporter le soir un beau collier de perles, avec d'autres bijoux, et par-dessus cela, la moitié de la pension annuelle qu'il lui avait promise. Laissez-moi seulement le temps, me dit-elle, de recevoir ses présents ; je vous jure qu'il ne pourra se vanter des avantages que je lui ai donnés sur moi, car je l'ai remis jusqu'à présent à la ville [3]. Il est vrai qu'il m'a baisé plus d'un million de fois les mains ; il est juste qu'il paye ce plaisir, et ce ne sera point trop que cinq ou six mille francs, en proportionnant le prix à ses richesses et à son âge.

Sa résolution me fut beaucoup plus agréable que l'espérance des cinq mille livres. J'eus lieu de reconnaître que mon cœur n'avait point encore perdu tout sentiment d'honneur, puisqu'il était si satisfait d'échapper à l'infamie. Mais j'étais né pour les courtes joies et les longues douleurs. La Fortune ne me délivra d'un précipice que pour me faire tomber dans un autre. Lorsque j'eus marqué à Manon, par mille caresses, combien je me croyais heureux de son changement, je lui dis qu'il fallait en instruire M. Lescaut, afin que nos mesures se prissent de concert [4]. Il en murmura [5] d'abord ; mais les quatre ou cinq mille livres d'argent comptant le firent entrer gaîment dans nos vues. Il fut donc réglé que nous nous trouverions tous à souper avec M. de G... M..., et cela pour deux raisons : l'une, pour nous donner le plaisir

---

1. *Délicatesse* : ici, sensibilité morale.
2. *Complaisance* : compréhension, indulgence.
3. Par cette phrase, Manon signifie qu'elle avait remis l'accord de ses faveurs à M. de G... M... au moment de leur arrivée en ville ; ils étaient jusque-là retirés à la campagne.
4. *De concert* : ensemble.
5. *Il en murmura* : il protesta, il se plaignit de cette décision.

L'esprit XVIIIe

Manon Lescaut est emblématique de la littérature du XVIIIe siècle et, plus largement, de l'esprit de l'époque. En observant des toiles peintes à la même période, on devine un certain goût pour le libertinage. Les peintres Fragonard, Boucher ou Watteau surent représenter cet esprit dans des œuvres aux motifs sensuels, évidentes invitations à l'amour...

✦ Jean-Antoine Watteau, *Pèlerinage à l'île de Cythère* (1717). De jeunes couples attendent l'embarquement pour Cythère, île de l'amour.

✦ Jean-Honoré Fragonard, *Les Hasards heureux de l'escarpolette* (1767). Une jeune femme se balance gracieusement alors que l'une de ses chaussures s'envole. Allongé à ses pieds, un homme admire ce spectacle suave.

Figure de la courtisane

L'*Histoire du chevalier des Grieux et de Manon Lescaut* marque l'avènement en littérature de la figure de la courtisane, femme qui ne dispose que de son corps et de ses charmes pour espérer s'élever socialement (voir dossier p. 219).

Si l'héroïne de *La Dame aux camélias* (ci-dessous) et le personnage de Nana (ci-contre) sont d'évidentes héritières de Manon Lescaut, l'Histoire présente aussi quelques figures emblématiques de courtisanes, telle La Pompadour.

✦ *Nana*, Édouard Manet (1877).
Zola, dans le roman qui raconte son histoire, parle ainsi de son personnage :
« Ce fut l'époque de son existence où Nana éclaira Paris d'un redoublement de splendeur. Elle grandit encore à l'horizon du vice, elle domina la ville de l'insolence affichée de son luxe, de son mépris de l'argent, qui lui faisait fondre publiquement les fortunes. »
Une définition de la courtisane...

✦ *La Dame aux camélias*, pièce d'Alexandre Dumas fils adaptée de son roman, est ici jouée par Isabelle Adjani dans une mise en scène de Robert Hossein en 1999 au théâtre Marigny. Cette pièce lui a été inspirée par son histoire d'amour avec la courtisane Marie Duplessis.

✦ Portrait de Madame de Pompadour (1721-1764) par François Boucher (1756). Elle fut la favorite du roi Louis XV et considérée comme une courtisane.

✦ *La Jolie courtisane*, Lucius Rossi. Les salons chers au siècle des Lumières étaient peuplés d'intellectuels, artistes, hommes politiques... et de nombreuses courtisanes.

Amours littéraires et contrariées

Le thème de l'amour contrarié est un grand classique de la littérature. Avant Manon et des Grieux, de nombreux amants ont été empêchés de s'aimer : Tristan et Iseult, Bérénice et Titus ou, contemporains des personnages de l'abbé Prévost, la marquise de Merteuil et le comte de Valmont, amants sulfureux des *Liaisons dangereuses*.

✦ Miniature du XVᵉ siècle. Tristan et Iseult, premier couple malheureux de l'histoire littéraire.